비는 사람의 몸속에도 내려

김신용

시인의 말

적滴은 물방울이다
물방울은 언제나 떨어짐을 예비하고 있다
그 물방울은 빛난다
떨어짐이 날개이기 때문이다
추락과 날개의 만남,
이것이 물방울의 생이다
이번 적滴 연작은 떨어짐이 빚어내는
무수한 이미지의 변주들로 이루어져 있다
떨어짐이 날개인 물방울들
그래서 물방울의 얼굴은 빛난다
추락이 비상인 생들
한없이 가벼워 무게가 없는 존재들

2019년
김신용

비는 사람의 몸속에도 내려

차례

1부

비명을 지르리라 살려줘요!

서시
— 적滴 1

   나뭇가지에 물방울이 맺혀 있다 맺힌 물방울이 떨어지면 또 다른 물방울이 와 맺힌다 떨어지는 물방울에는 떨어지고 싶지 않은 머뭇거림 주저가 있다는 듯이, 떨어지지 않으려고 꼭 움켜쥔 장력掌力이 있다는 듯이, 물방울이 떨어진 자리 또 다른 물방울의 결정結晶이 와 매달린다 물방울이 한 번 눈을 감았다 뜨는 듯이, 잠깐 먼 곳을 쳐다보다가 다시 제자리로 돌아오는 일별이라는 듯이

   맺힌 자리에 또 맺히는, 저 응시의 표면장력

   마치 누군가가 가만히 발을 내미는 것 같다 그 벗은 발등에 또 누군가가 가만히 발을 올려놓는 것 같다* 이 점화가, 불빛이 훤히 밝히는 물방울의 방에는 균열이 없는, 그 장력掌力의 흐름이 가구처럼 놓여 있는 것 같다

   그 물방울이 목 뒷덜미에 똑, 떨어진다

나는 깜짝 놀라 뒤돌아본다 아무도 없다 그러나 나는 누군가가 있었을 것 같은 느낌으로 멍하니 서 있곤 한다 목 뒷덜미에 물 한 방울 떨어졌을 뿐인데, 그것이 마치 손톱자국처럼, 가슴속에 아프게 할퀴고 간 상처인 것처럼 문득 뒤를 돌아보게 하는 것, 스스로를 바라보게 하는 것

　그 기억을, 느낌을 무엇엔가 가만히 손을 얹게 하는 것

　또 나뭇가지에 물방울이 와 맺힌다

　맺힌 물방울이 떨어지면, 그 자리
　또 다른 물방울의 얼굴이, 가만히 와 겹친다

　* 이제하의 소설 『유자 약전』에서

싱크홀
― 적滴 2

느닷없이 차가, 사람이 푹 꺼진다 마치 허공에서
물방울이 떨어지듯 비명 하나 없다 무슨 농담처럼
시치미 뚝 뗀 표정 같기도 하다 그렇게 움푹 꺼진 구명
이
전복적 상상력, 생의 돌발성 같기도 하지만
구명 속으로 푹 꺼진 얼굴은 어리둥절해 있으리라
내가 지금 어디에 있지? 어처구니없어 하는 표정이리라
그러나 곧 공포에 질려 비명을 지르리라 살려줘요!
여기 사람이 있어요! 그러나 눈앞은 캄캄절벽 암흑천
지
자신은 분명 여기 있는데 자신은 사라졌다 대체 누가
믿겠는가
이 수수께끼를―이 불가사의를―형체는 여기 있는데
감쪽같이 사라지는 것들 마치 모든 생명체의 본성 같
다
전복적 상상력의 임계점 같다 그렇게 수많은 입들이 책
들이
이 싱크홀의 위기를 경고해도 없어지지 않는 구명
구멍들―그 캄캄한 구멍 속에 매몰되어 차라리 체념할

때

　포기할 때, 그것에 대한 경고이듯 또 싱크홀은 푹 꺼
지고

　다시 차가 사람이 빨려 들어간다 살려줘요! 여기 사
람이 있어요!

　그러나 아무리 소리치고 비명을 질러도, 허공에서

　떨어져 내리는 물방울이듯 흔적도 없다 자국 하나
남지 않는다

　마치 지각변동이듯 한순간에 푹 꺼질 수도 있고

　솟구쳐 오를 수도 있는 제로섬 게임에 몸을 맡긴 듯,
검은 몽유처럼

　떠도는 것들─그렇게 생의 돌발성에 몸을 맡기고 걷
다 보면

　그림자만 남는다 나는 분명 여기 있는데 나는 없다

　마치 무의식적인 사람인 것처럼

　알지 않으려는 욕망, 무지에 대한 열정인 것처럼*

* 파스칼 키냐르 『은밀한 생』에서

고래 뱃속

— 적滴 3

씨, 혹은 씨氏?

고래 뱃속을 다녀왔다 한번 빠져들면 사람의 형체
가 지워지는 곳
　사람의 형체가 지워져, 사람을 벗은 사람으로 사는
　사람을 벗은 사람으로 살아, 사람을 벗은 사람의 언
어로 말을 하는 곳
　사람을 벗은 사람의 언어로 말을 해, 사람이 죄가 되
고 형벌이 되는 곳
　사람이 죄가 되고 형벌이 되는 곳이어서, 아직도
　가파른 계단에서 사람이 굴러떨어지고, 사람이 굴
러떨어져
　넋의 척추를 부러뜨리는, 넋의 척추를 부러뜨려
　살아 있는 사람을, 살아 있는 시체가 되게 하는……
　그 불가사의가, 더욱 불가해하게 느껴지는……
　마치 늪이듯, 한번 빠져들면
　그렇게 사람을 벗은 사람의 형상으로 재조립되
는……

어두컴컴한 복도 양편으로 촘촘히 박힌 방들이 마치 관 속 같은······

30년을 살다 30년 전에 떠났는데 30년 후에 다시 와보니

여전히 환부에서 고름을 흘리고 있는, 지금도 붙잡을 난간이 없어

사람이 굴러떨어지고, 굴러떨어진 사람이 사람을 벗은

사람으로 새롭게 사람의 형체를 만드는, 그 고래 뱃속을 다녀왔다

사람을 벗은 사람이, 씨처럼 보이는 씨氏 같은

그 씨氏가, 가파른 계단에서 굴러떨어져 척추를 부러뜨리는 것이

씨의 발아發芽처럼 보이는, 그 불가해한

불가사의를 지금도 보여주고 있는······

대체 고래 뱃속은 얼마나 넓고 큰가?

고래 뱃속을 오래전에 기어 나온 줄 알았는데
아직도 고래 뱃속이라니!

다시, 전지를 하며
— 적滴 4

전지를 하고 있는데, 지나가던 마을 노인이
"거 참, 나무들 시원하게 이발 한번 잘하네!" 한다

나는 어리둥절해진다 내가 언제 나무의 머리를 깎
는 이발사가 되었나?

그러나 한 걸음 물러서서 쳐다보니, 나무들 정말 이
발을 한 것 같다

겨우내 봉두난발이었던 머리가 깔끔하게 깎인 것
같기도 하다

뒤로 젖히면 편안하게 다리를 뻗고 누울 수 있는, 의
자에 앉혀,
거울에 비친 나무의 두상頭像에 맞춰, 머리를 깎아
준 듯하다

마치 아이의 아픈 이빨을 실로 묶어 발치拔齒를 해

주는 듯, 서툰 가위질 솜씨지만
  벽에 걸린 '이삭 줍는 사람'의 복제 사진처럼, 경건한
느낌이 들기도 한다

  다만 섭섭한 것은, 뒤로 젖히면 편안하게 다리 뻗고
누울 수 있는
  의자에 나무를 눕히고, 얼굴에 비누 거품을 잔득 묻
히고

  차마 면도는 해줄 수 없었다는 것

  그런 해학 속에 숨긴 익살로, 비누 거품이 피어오르
도록 해줄 수는 없었다는 것

  그래, 이제부터의 전지는, 나무를 시골 이발소 의자
에 앉히는 것
  의자에 앉혀, 비록 녹슨 연탄난로에 데운 물이지만

나무의 머리카락이 윤이 나도록, 세발洗髮까지 해주
는 것

　마치 거미줄도 물방울의 벤치가 되어주는 것처럼
　갈 곳 없이 떠도는 물방울들의, 의자가 되어주는 것
처럼

존재의 집
— 적滴 5

풀잎에
작은 염낭거미의 집이 붙어 있다
물방울이 풀잎에 맺혔다가 그대로 화석이 된 것 같은
낡은 빛깔로, 이제는 허물어지고 있는 집
가만히 손가락 끝으로 헤쳐 보니, 마치 고독사의 뼈
같은
작은 염낭거미의 껍질이 놓여 있다
자신의 무게라고는 한 점도 없는, 후 불면 먼지처럼
지워질
얇디얇은 껍질……, 한때 이 지상에서 살았던
흔적처럼 놓여 있다 태어나, 집도 짓지 않고
마치 생을 배회하듯 살았던, 이 작고 보잘것없는 생
명체가
일생에 단 한 번, 처음이자 마지막으로 지었던
그 집…… 처음이자 마지막이었으므로
이 지상에서 가장 황홀하고 행복한 거처였던 집이,
이제는 낡아
폐가처럼 허물어지고 있으면서도, 풀잎에서 떨어지

21

지 못하고

　완강히 놓여 있다 아직도 떠나보내지 못한 새끼가
있는 듯

　아직도 새끼들에게 먹일, 자신의 체액이 남아 있다
는 듯

　자신의 손톱으로 자신의 몸에 새겨 넣은 무늬이듯

　일생에 단 한 번, 자신의 몸에서 뽑아낸 거미줄로

　몇 겹씩, 튼튼한 고치처럼 지은

　그 밀폐의

　집이……

마른 꽃
― 적滴6

건조한 겨울 방 안에 솔방울 가습기가 놓였다
아내가 뒷산에서 한 아름 주워온 것
땅에 떨어져 아무렇게나 뒹굴던 것들을 유리 쟁반에
담아
물 흠뻑 적셔 놓으니, 방 안 가득 은은한 솔향마저 느
껴진다
이 솔방울 가습기를 어떻게 알았을까, 묻고 싶었지만
아내는 그냥 웃기만 해,
창가에 놓아두고 무슨 정물화처럼 바라보기도 한다
젖었을 때, 전신을 오므리고 있다가
물기가 마르면서 조금씩 제 품을 열고 있는, 솔방울
들……
단단히 여민 몸이, 씨를 떠나보내기 위해
서서히 물기를 말리면서, 어느새 씨방의 문을 활짝 열
고 있는
솔방울들
바싹 말린 몸을 가지에서 떨어트린 후
어떻게 미련 없이 땅 위를 뒹굴고 있었는지를

그 내력을, 생각해 보노라면

스스로를 떨어트린다는 것, 그것이 어찌 날개가 아니
랄 수 있을까

건조한 겨울 방 안에 놓여, 서서히 자신을 말려가고
있는 모습이

물기 다 증발시키고 바싹 마른 몸을 활짝 열고 있는
모습이

꼭 한세상 미련 없이 보낸, 허허로운 웃음 같아

틀니도 없이 부끄럽게 잇몸으로 웃는, 그런 웃음 같아

바닥에 떨어져 아무렇게나 뒹구는, 저 솔방울들……

꼭 꽃 같다

마른 꽃

제 몸의 물기를 다 말려야 피는 꽃

수혈樹血 혹은 수혈修血
— 적滴 7

인체가 나무의 피를 수혈輸血하면, 수혈修血이 되는가?
아닌가?
이것은 시인의 상상력이겠지만
혈관 속으로 나무의 피가 흐른다는 생각만으로
몸이 맑아지는 느낌이다

나뭇등걸에 드릴로 구멍을 뚫고
손가락 굵기만 한 플라스틱관을 박아
고로쇠 수액을 채취하고 있는, 숲을 본다
마치 링거 팩을 매달아 놓은 것처럼 엷고 투명한
플라스틱관에 연결된 비닐 주머니에는
유백색의 액체가 한 방울씩 떨어진다
저것은 나무의 피일까
물일까

고로쇠의 수액을 많이 마시기 위해
사람들은 일부러 음식을 짜게 먹거나 소금을 머금는다
물을 많이 마실 수 있기 때문이다

물을 마시고 땀으로 혹은 소변으로 배설을 하고
또 마신다
고로쇠나무의 수혈樹血을 수혈輸血해
수혈修血을 하기 위한 방법이다
수신修身이다

그러나 나무는 중환자 같다
전신의 혈관에 링거병을 주렁주렁 매단 숲은, 중환
자실 같다
나무는 아프지 않은 것일까, 사람의 수혈修血을 위해
수혈樹血을, 인체에 수혈輸血하는 것은……

비꽃
— 적滴 8

물방울도 꽃을 피운다
비꽃이다
빗방울이 유리창에 부딪혔을 때,
문득 손등에 떨어졌을 때
거기 맺히는 물의 꽃잎들
무채색 비꽃을 보는 눈은 탄성으로 물든다
비꽃이 우리에게 건네주는
꽃 한 송이
오늘, 이 꽃을 누구에게 건네줄까?
상상하는 순간의
이 번짐을

파베르제의 달걀
— 적滴 9

황학동 벼룩시장을 걷고 있을 때였다 누군가 내 앞에 달걀 하나를 불쑥 내밀었다 맥반석으로 구워 돌처럼 딱딱한 거무스레한 빛깔의 달걀이었다 그 달걀을 바구니에 담아 시장의 오가는 사람들에게 팔고 다니는 나이 든 행상이었다

그의 손에서 불쑥 내밀어진 달걀 하나……
도금된 금속이 변색된 것 같은, 거무튀튀한 빛깔의 달걀 하나……

그것을 본 순간, 나는 파베르제의 달걀을 떠올렸다 19세기 제정 러시아의 보물이었던 것, 황제 니콜라이 2세의 대관식을 위해 제작되었고, 황비 알렉산드라 표도로브나의 모노그램인 'AF'가 문스톤으로 수놓아져 있는……, 한때 러시아 황실의 상징이었던……, 그것이 불쑥 떠올랐다

혹시 내게도 그런 행운이 찾아온 것일까?

러시아 혁명 이후, 사치와 향락으로 이루어진, 수많은 백성의 피와 땀으로 얼룩진 그 역사의 몰락과 함께 사라져, 뉘 손인지 모르게 굴러다니다가 그것 중 하나가 어느 날, 미국의 한 벼룩시장에 나타나 헐값에 팔렸다는……

헐값에 팔려, 그 횡재의 꿈으로 뭇사람들의 가슴을 뛰게 만들었다는……,

혹시 이것도 그 보물 중의 하나가 아닐까? 하고 생각하는 순간

딱! 내 이마에 무엇이 부딪치는 소리가 났다 정신 차려, 이 친구야! 하듯…… 늙은 행상이 멍청하게 생각에 빠진 내 이마에 계란 껍질을 깨 한번 먹어보라구, 아주 맛있어! 하며 장난스럽게 웃으며 내미는 것이었다 번쩍 정신이 든 나 또한 멋쩍게 웃으며 내 이마에 부딪혀 껍질을 깬 계란을 우물우물 씹었다 거무튀튀하

게 맥반석으로 구운, 계란 한 알……

　그때, 내 이마를 때린 그것이, 마치 죽비처럼 다가온
그것이
　혹시 파베르제의 달걀은 아니었을까?

　마치 멸실환*처럼 우리 곁에서 사라졌다가, 어느 날
고물 시장에 나타나 뭇 사람들의 가슴을 뛰게 만든

　그 파베르제의 달걀……

* 인류 진화의 잃어버린 고리

가뭄 이야기
― 적_滴 10

몇 달 동안의 긴 가뭄에 땅이 쩍쩍 갈라졌다

할아버지는 한숨만 쉬었다 염천 하늘의 땡볕이 한스럽구나……

할아버지는 메말라 갈라진 땅을 보며, 대체 내가 뭘 잘못한 거지?

칠십 평생 쉬지 않고 일만 했는데, 대체 내가 뭘 잘못해 이런 벌을 받는 거지?

하늘을 원망하며 망고나무 밑을 지날 때, 망고나무 밑에서 한 노파가 쉬고 있었다

할아버지는 노파를 보며, 지금의 억울한 심정을 호소하듯 말했다

대체 내가 뭘 잘못한 거요? 오로지 부지런히 일만

한 죄밖에 없는데

부지런히, 오로지 죽도록 땀을 흘린 죄밖에 없는
데……

그 말을 들은 노파는 웃으며 말했다 이보게……, 이
땅은 수천 년 동안 일만 해왔지 않은가

그러니 이 땅도 잠시 쉬고 있다고 생각하게…… 뜨
거운 태양 아래

그동안 쌓인 피로를 잠시 풀고 있다고……, 그렇지
않은가

수천 년 동안 우리들은 이 땅이 주는 것으로 살지
않았는가

그때야 할아버지는 깨달았다 가물어 땅이 쩍쩍 갈

라지는 것은

　땅도 잠시 쉬고 있다는 것을…… 그렇게 쉬고 나면 다시 힘차게 곡식을 익게 해줄 것이란 것을……

　할아버지는 메말라 갈라진 땅을 가만히 쓰다듬었다 그래, 쉬렴…… 푹 쉬고 나서 다시 일어나렴……

　그때까지 나도 좀 쉬며, 그동안 쌓인 피로를 풀고 있을 테니……

　그때, 마치 신의 축복처럼 하늘에서 빗방울이 떨어졌다

　할아버지의 얼굴은 편안한 미소로 가득했다

나뭇잎 뼈
　　― 적滴 11

　어쩌면 저렇게도 살아 있게 할 수 있을까?
　날카로운 회칼에 살은 모두 회로 뜨여지고, 머리와
몸통의 뼈만 남았어도
　아직 살아, 횟집 수족관에 담겨 있는 물고기를 보네
　마치 잎맥만 남은 나뭇잎, 나뭇잎처럼
　뼈에 엷게 붙은 살들로 한없이 얇고 투명해져서, 미
동도 없이
　수족관의 물속에 가라앉아 있다가도
　이따금 무엇이 생각난 듯 지느러미를 일렁이곤 하
는
　저 물고기, 내장도 핏줄도 끊긴 텅 빈 몸으로
　아직도 바닷속을 유영하던 때를 기억하고 있는지
　산호초 사이를 유유히 지느러미 흔들던 때를 떠올
리고 있는지
　날카로운 회칼이 살을 파고들 때의 고통도 통증도
모두 잊은 듯
　내 살은 전부 어디로 간 것일까? 그런 의문도 물음
도 모두 잊은 듯

또 이따금 자신이 살아 있다는 것을 확인이라도 하
듯
　느릿하게 등줄기에 붙은 지느러미를 일렁이곤 하는,
저 물고기
　마치 물방울의 꿈을 꾸고 있는 듯이, 허공에서
　한없이 떨어지고 있으면서도, 땅에 스며들면 다시
　날아오르리라는 믿음의―, 그 물방울의 꿈을 꾸고
있는 듯이―
　그렇게 무한천공에서 살아남은, 물고기좌처럼
　살은 모두 회로 뜨여지고 앙상하게 뼈만 남았어도,
아직은
　고기를 찢는 데는 없어서는 안 될
　'사자어금니' 같은 사람을 꿈꾸는 것처럼

2부

동태는 혹시
바다의 노숙자가 아닐까?

나비 잡아라

— 적滴 12

하필이면…… 왜 배춧속을 둥지 삼을까……?

눈앞에서 배추흰나비 한 마리가 나풀거린다

두 손바닥으로 탁 치니 엷은 입김처럼 납작해져서

손바닥에 붙어 있다 배추흰나비는 나비가 아니란다

배추를 병들게 하는 해충이란다 해충은 이렇게 잡

아줘야 한단다

그렇게 말하는 어미의 입술은 단호하다 자, 이 배춧

속을 보렴!

이렇게 알을 슬어놓았잖니! 이 알은 처음에는 물방

울처럼 맑아 보여도,

곧 이 속에는 배춧속 갉아먹는 애벌레가 자란단다

그 애벌레가 깨어나면 배춧속을 파먹으며 자라, 배추

가

곧 병들게 된단다 아파서 앓게 된단다 자, 여기 보

렴……

배춧속마다 애벌레가 파먹은 흉터가 생기면서, 배

추 빛깔이 검게 변하고 있지 않니…… 그리고 이것 봐,

알에서 깨어난

푸른빛의 애벌레들이 살이 통통하게 올라, 배춧잎마다

구멍을 뚫어 놓고 있지 않니…… 이 상처 때문에

배추가 아픈 거란다 배추가 아파 병들면

우리는 배추를 먹지 못하게 된단다 배추흰나비가 날아와

알을 낳아 놓으면…… 배추 속잎마다 이렇게 알을 맺어 놓으면……

그러니 아가야, 배추흰나비는 잡아줘야 한단다

배추흰나비는 나비가 아니라 해충이니까…… 그러나 아이는 울먹이며

어머니의 손바닥에 엷게 붙어 있는 배추흰나비의

날개를 떼내 공중으로 후 날려 보내준다

어미의 눈길이 흔들린다

그 눈길이 여리고 흰 배추흰나비 같다

다시, 저수에 대하여
— 적滴 13

혹시 우리 모두 이 나무의 자손은 아닐까?

못생기고 볼품이 없어
어느 누구의 문짝 하나 기둥 하나 되어주지 못하지만
일생의,
혼신의 힘으로
묵묵히 그늘을 만들어 온 나무

자신은 진종일 채석장에서 돌 깨다 온 것처럼 보이지만

아무렇지도 않은 듯, 한 뼘 한 뼘씩
그늘을 키워 온 나무

그 그늘을 아무도 기억하지 않는데도, 못 본 척 외면하
며 뒤돌아서는데도

등 뒤에서, 그림자인 듯 저녁 어스름인 듯 어른거리는
그렇게 일생 동안 그늘을 직조하며 늙어온, 나무……

기억해 보면, 뒤껻에 널어놓은 마른 시래기 다발처럼
서걱이지만

　저것 봐, 오늘도 전신에 뿌옇게 돌가루 먼지를 뒤집어
쓴 채
　저수樗樹가, 그늘을 만들고 있다

　그늘을 직조하고 있다

　그 그늘이, 남루에 입힐 눈물 한 방울 되지 못하지만
　그 그늘에서, 의자 하나 떼어내면 풀썩 허물어져 버리
지만

대추씨에 관한 소고小考 1
　― 적滴 14

　마당에 서 있는 대추나무 한 그루, 가을이면 인심
좋은 후덕한 마음씨처럼 열매를 주렁주렁 매단다 과
육이 달고 빛깔도 고와 이웃집 강아지까지 찾아와 땅
에 떨어진 대추를 물어가곤 한다 그렇게 대추가 떨어
진 자리, 미처 줍지 못해 흙에 묻힌 대추씨들이 이듬해
봄이면 어김없이 싹을 틔워 올린다 부드러운 풀잎처럼
생긴, 연초록의 어린싹들…… 그러나 자라오르면서 연
하고 부드러운 어린싹에는 푸르고 날카로운 가시가 돋
아, 그 줄기가 굵어지면서 가시는 누구의 손끝도 닿지
못하게 더욱 날카로워져, 마치 그 무엇의 손길도 거부
하며 웅크린 야생의 발톱처럼 느껴진다

　대체 저 후덕하고 마음씨 넉넉한 품을 가진 대추나
무에서
　어떻게 이런 이종異種의 씨가 맺혀지는 것일까

　DNA를 뗐다 붙였다 하는 유전자 편집으로도 어쩌
지 못할 것 같은, 저 자기에게로의

회귀—

성형수술된—, 접골된—, 혹은 이종교배된—나무에
서
한사코 모천母川으로 되돌아가려는, 저 끈질긴 본능

대추씨는 야물다 쬐그만 것이 이빨로 깨물어도 자국
도 안 남는다 대체 저 단단한 것 속에는 어떤 고집이, 어
떤 집요함이 들어 있기에, 자신의 유전자 형질 변경을
그토록 거부하고 있는 것일까

예측 가능하게 예측 불가능한—, 씨에서 보는

저 떨어짐의 무거운 질량!

대추씨에 관한 소고小考 2
— 적滴 15

'포에지 푸어'라는 신조어를 만들어 놓고 나니

내 몸에도 푸르게 가시가 돋는 느낌이다 어떤 손길도 거부하듯

전신에서 날카롭게 빛나는 가시— 외모가 음악이라면

난 음치—라는, 어떤 개그맨의 유쾌한 유머처럼

그러나 곱씹을수록 쓸쓸해지는, 그 농담처럼

시를 쓸수록 더 가난해지는 전업의, 환금 가치가 없으면

아무것도 아닌 시대의 시인의 생이, 정말 아무것도 아닌 것처럼 느껴질 때

자신의 의식을 좀 더 아래로 내려놓는 것

마치 싱크홀이듯 좀 더 아래로 내려놓아, 죽은 듯이 깊은 잠에 빠져 있으면서도

눈을 뜨는 것

눈을 떠, 마지막 남은 정강이뼈 하나로

파르라니 일어나는 것

일어나, 덜그럭거리면서도 걸어가는 것……

그것이 음치의 빛나는 노래라서

목쉰 불협화음의 화음 같은 노래라서……, 포에지 푸어라는

개그맨의 우스운 농담 같은 단어를 만들어 놓고 나니

전신에, 그렇게 푸르게 가시가 돋는 느낌이다

어떤 손길도 거부하면서

어떤 손길도 뿌리치지 못하는 치인痴人처럼……, 그 치인 같은

성대 결절의 생활을 붙들고…… 그래, 외모가 음악이라면 난 음치……라는, 그 재치 있는 유머처럼

누가 면허를 내준 것이 아니므로

폐업을 선언할 명분도 없는, '시인 폐업'을 중얼거리면서―

동태
— 적滴 16

동태는, 혹시
바다의 노숙자가 아닐까?

익살을 부리고 싶은 저녁이다

시장 좌판에 꽁꽁 언 동태들이 줄지어 누워 있다

살아 있을 때의 동작과 질서들을 정지시킨 채, 사고
思考마저 급속 냉동된
포즈 그대로……

마치 말을 잊은 입처럼, 말을 잊은 입은 이미 입이
아닐 텐데
말을 잊은 입처럼

아무도 자신의 불행에 눈길을 주지 않는데도, 세계
의 무관심에 그토록 다정하게
마음을 연 것처럼

오랫동안 상하지 않게, 변질되지 않게, 잘 저장된 표
정처럼

　불행의, 단 한 번의 짧은 노크에도 경직되어버린 포
즈 그대로……

맑은 날
— 적滴 17

집 곁, 개울물에 물관을 댄 마당의 수도꼭지에서
송사리 한 마리가 톡 튀어나온다 아내는 아이처럼 탄
성을 터트리고
나는 허 허 웃는다 송사리는 마당의 대야에 담겼어도
아무렇지도 않은 표정이다
흐르는 물이거나 담긴 물이거나 똑같다는 낯빛이다
좁은 물관 속을 빠져나오느라 당황하고 힘겨웠을 것
인데
마치 스스로의 유배로 황홀히 매 맞고 있는 듯한 얼
굴이다
그러나 나는 속으로 이 물을 먹어도 될까? 괜찮은 것
일까?
곤혹스러움으로 눈을 멀뚱인다 적은 생활비로
좋은 글 한 편 써보자며 찾아든, 산골 외딴집
이런 이물질(?)까지 아무렇게나 껴입어도 편안한 옷
처럼
느껴져야 하는데 또 수도꼭지를 틀면 어떤 이물질이
흘러나올지 몰라,

전전긍긍한다 그러나 송사리는 여전히 달팽이가 기어 나와도

아무렇지도 않은, 너와집처럼 웃는다

마치 비늘 달린 물방울이듯, 지느러미를 흔든다

그것을 보며, 외양은 멀쩡한데 냉동이 되지 않는 냉장고처럼

끙끙거리는 것은, 나다 혹시 이 양가적 감정이 가장의 책무?

그러면 또 수도꼭지를 틀면, 저 비늘 달린 물방울이

맑은 눈으로 나를 쳐다보고 있다면? 자신에게는 마치 이상한 나라로 가는

동굴처럼 느껴졌을 긴 물관 속의 여행이, 즐거워 죽겠다는 듯

지느러미를 흔들고 있다면?

몰아의 새

— 적滴 18

    수면 아래로 새 한 마리가 내리꽂힌다 물속의 목표물을 향한, 저 송곳 같은 비행…… 일말의 망설임도 없이 절벽에서 뛰어내리는 투신 같은, 그 고도의 집중이 만들어내는, 저 몸짓의 궤적…… 그것을 새라고 생각한 날 있었다 '살아 있음'이라고 명명한 날 있었다 마치 무한 심연 같은, 물속에서 불확실성으로 어른거리는 것들…… 물속에 잠긴 나뭇잎의 그림자 같은 것들…… 그것이 비록 번민일지라도 고통일지라도, 그 목표물을 향해, 그렇게 일말의 주저도 없이 투신하는, 그 몰아의 순간이……, 새라고 상상한 날 있었다 마치 전율이듯 전신에서 물방울을 튕기며, 살아, 퍼덕이는 물고기를 물고 수면 위로 솟구쳐 오르는

    그 빛나는 순간이……

물방울 환幻
— 적滴 19

나뭇가지에 물방울이 맺혀 있다

빨랫줄이나 전깃줄에 매달린 물방울이라도 상관없다

자신이 물방울이면서 물방울이 아닌 얼굴을 한, 물방울이면 된다

떨어지면 허공인 물방울이 아닌 것 같은 얼굴을 한, 물방울이면……

물방울에는 맑고 투명하게 풍경들이 비쳐 있다

산과 들판이, 꽃이, 풀잎이, 마치 누구도 흉내 낼 수 없는,

아름다운 한 폭의 그림처럼 영롱하게 비쳐 있다

(세상에! 물방울에도 저렇게 아름다운 풍경들이 맺힐 수 있다니!)

그러나 물방울이, 자신이 물방울이 아닌 것 같은 얼굴을 한

물방울이 똑, 떨어진다 떨어진 자리

아무것도 없다 물방울 속에 맑고 영롱하게 투영된 세계도

풍경도 사라지고 없다

마치 그림의 떡으로 허기를 채운 것 같다

가지가, 허공 같다

세월, 세월호도 그렇게 사라져 갔다

물방울 속에 영롱하게 맺혔던 세계의 침몰처럼, 서로 잡은 손이

그러니까…… 악수가 악수惡手가 되는 세계에서……

그렇게 침몰해 갔다

그 환영幻影에…… 허상에…… 우리 모두 망연해져 있을 때 아득해져 있을 때

다시 나뭇가지에 물방울이 와 맺힌다 마치 환幻처럼

맺힌 물방울에 다시 꽃과 풀잎이 강물이 하늘과 들어와 앉는다

마치 악수가 악수惡手가 아닌 것처럼…… 아름다운 한 폭의 그림처럼……

자신이 물방울이면서 물방울이 아닌 것 같은 얼굴을 한 물방울들이……

떨어지면 허공인 물방울이 아닌 것 같은 얼굴을 한 물방울들이……

물의 뼈
— 적滴 20

　없는, 물의 뼈 물의 뼈를 상상하는 것은 즐겁다 물의
뼈라니! 물에도 뼈가 있나? 싶지만, 없는 물의 뼈를 생
각하는 일은 허공에 날개가 돋는 느낌이다 기울이면
힘없이 주르르 흘러내리는 것이 어떻게 뼈가 될 수 있
느냐는 힐난의 눈빛도 있지만, 이 물이 무엇에 스며들
어 뼈가 되어주고 있는 상상은, 전신에 미늘이 돋게 한
다 형체도 없는, 보이지도 만져지지도 않는 무형無形의
것이지만, 무슨 추락이듯 끊임없이 흘러내리고 있는
물의 뼈가 마치 비상飛翔이듯 생의 척추가 되어주고 있
는 상상……, 이 상상만으로 모든 눈빛은 직립한다 이
직립이 생의 의미라고 생각하는 눈빛 또한 빛난다 추
락이 비상이며 비상이 추락인 날개……, 상승과 하강
의 갈림길에 선 돌의 이마에도 손바닥이 감지하지 못
하는 신열이 만져진다 우는 것과 웃는 것 사이의 비등
점이다 상승과 하강의 곡선이 서로 마주치는 곳, 날개
를 활짝 편 물의 뼈를 만나는 일은 그림자도 등뼈를 곧
추세운다 마치 물방울에 비친 그림처럼 찰나에 빛나지
만, 이 물의 뼈는, 기울이면 주르르 흘러내리는 힘없는

것에 스며들어, 어느새 생의 척추를 곧추세워주고 있
으므로…… 비록 보이지도 만져지지도 않는 무형의 것
이지만, 없는, 저 물의 뼈……

비의 가시

― 적滴 21

너는…… 비가 병균 같다고 생각 안 해? 그렇게 생각해 본 적은 없어?

지난날, 한 여자아이에게 이렇게 물은 적 있었다

비 오는 날, 공원의 벤치에서였다 몸속을 텅 비워버리는……

살아 있기 위해 무수한 돌연변이를 일으키는…… 눈에 보이지도……

만져지지도 않는…… 그런 바이러스와 같은 병균…… 그러나

여자아이는 살풋 웃기만 했었다 파리하고 야윈 미소였다

너도…… 비는…… 하늘에서…… 땅으로만 내린다고 믿고 있지?

비는…… 작은 빗방울이라도…… 공중에서…… 아래로만 떨어진다고……

그때, 내가 다시 그렇게 물었을 때, 여자아이는 의아하다는 듯이

나를 쳐다보았었다 비는…… 하늘에서 땅으로 내리

지 어디로 내려요?

　비는…… 높은 곳에서 아래로 떨어지는 것 아니에
요? 그때 그 말을 들은

　나는 이렇게 말해주었었다 아니야…… 때론

　비는 사람의 몸속에도 내려…… 마치 허공에서 빗
방울이 떨어지듯

　사람의 몸속에도 내려…… 그리고 비는…… 그 사
람의 몸속에서

　돋아나기도 해…… 마치 가시처럼…… 찔리면 아프
게 피를 흘리는…… 날카로운 가시처럼

　…… 너는 이 공원의 벤치에서 비를 만났을 때

　오늘처럼…… 이렇게 쓸쓸하게 비를 만났을 때

　그런 것을 느껴보지 못했어? 마치 가시가 돋아나듯

　가슴속에서 비가 돋아나는 것을 느껴보지 못했어?

　그러니까 너는…… 가슴속에서 돋아난…… 그 비의
가시에 찔려

　아프게 피를 흘려 본 적은 없어? 고통으로 신음해
본 적은 없어?

저기 봐……, 저기 한 여자아이가 걸어오고 있다
발걸음을 떼어놓을 때마다 절룩이는, 한 여자아이
가 걸어오고 있다

발밑의 제비꽃 하나 밟지 않으려고 기우뚱 비켜 걷
는 것 같은……

지난날, 공원에서 남자를 만나면 '짜장면 한 그릇
만 사 주실래요?' 하던, 불구의, 소아마비의 여자아이
가……

오늘처럼 비 오는 날, 혼자 공원을 걷고 있노라면
가슴속에서 비의 가시로 돋는, 한 여자아이가……

씨, 혹은 씨氏

— 적滴 22

세상에 참 희한한 씨도 있네요 분홍바늘꽃 씨라네요

산에 불이 나면, 산불이 나 온통 뜨거운 불길이 휩쓸고 간 뒤, 시커멓게 재만 남은 자리

그 자리에, 제일 먼저 싹을 틔워 올리는 꽃이라네요

꽃이 어떻게 생겼는지는 한 번도 본 적이 없지만⋯⋯ 그 생각만으로도 가슴이 두근거리네요

혹시 세상에 그런 씨氏도 있을 것 같아⋯⋯ 가슴 먹먹해지네요

그러니까⋯⋯ 온통 산을 삼켜버린 시뻘건 불길이⋯⋯ 모든 것을 잿더미로 만들어버린 불의 뜨거운 열기가⋯⋯

흙 속에 묻힌 씨의 잠을 깨우는 손길이라니요

흙 속에 깊이 잠든 씨의 문을 두드리는…… 노크 소
리라니요…… 이것의 의미에 어떻게 가슴 먹먹해지지
않을 수 있겠어요

아득히…… 눈앞이 흐려지지 않을 수 있겠어요

세상에! 모든 것을 태워버릴 듯 붉은 혀를 날름거리
는 불길이……

불의, 그 뜨거운 열기가…… 입맞춤이었다니!

씨의 잠을 깨우는…… 숨결이었다니!

그러면 혹시…… 그런 씨氏는 몰라요?

만약 알고 있다면…… 좀 알려주세요…… ○○○씨

라고……

　캄캄한 흙 속에 묻혀 어떻게 죽음보다 깊은 잠에 빠
져 있었는지는……

　그 씨가 어떻게 여기까지 왔는지는…… 바람만이
알고 있는* 것은 아닐 테니까요

* 밥 딜런의 〈Blowing in the wind〉에서

3부

저 힘없는 것들

앵두

— 적滴 23

노숙자를 위한 시 창작 강의실에 선다

마치 외계에서 온 낯선 신호를 수신하는 듯한 눈빛들이 보인다

교환 가치가 없는 것은 아무런 쓸모가 없는 것이 되는, 시대에

대체 시란, 어떤 의미가 있는 것일까?

그러나 시 속에는 우리들이 매일 잊으며 살고 있는, 향수 같은……

고향을 향한 그리움 같은…… 그런 마음의 양식이 들어 있다고

만질 수는 없지만, 냄새 맡을 수는 없지만

물질로는 바꿀 수 없는, 무형의 가치가 들어 있다고…… 말한 뒤

나는 살 한 점 없는 생선 뼈처럼 부끄러워진다

과연 그럴까? 시가 저들에게 빵 하나 햄버거 한 개보다 더 가치가 있는 것일까?

그래도 나는 용기를 내어 말한다, 시 속에는

인간에 대한 존엄, 타인에 대한 배려와

섬김의 의미가 내재되어 있다고

그것은 나무나 풀에도 마찬가지라고

또 그것이 인간을 인간답게 하는, 시의 기능이라고
설명한 뒤

여전히 해독할 수 없는, 어떤 상형의 의미를 짚어가
는 듯한, 눈빛들을 되짚어 본다

그 눈빛들이, 지금 내가 해독할 수 없는

미지의 언어 같다

나는 다시, 살 한 점 없이 부끄러워진다

교환 가치가 없는 것은 아무 쓸모가 없는, 잉여가 되
는 시대에

대체 시란, 어떤 것이어야 할까?

자문自問하듯, 돌아서며 바라본 강의실 창밖의 뜨락
에는

앵두꽃이 피었다 진 자리, 발진처럼

빨갛게 앵두들이 맺혀 있다

마치 외계에서 온, 발신인도 없는

낯선 신호를 수신하는, 눈빛처럼……

저수에 대하여
— 적滴 24

저기, 벌판에 나무 한 그루가 서 있다 (두 그루가 있다고 상상해도 상관없다) 나무는 꼭 저수樗樹처럼 서 있다 가구를 만들면 부서지고 문짝을 기둥을 만들어도 곧 썩어, 아무도 베어가지 않는다는 나무 아무도 베어가지 않아 오래 살아남는다는 나무 그렇게 오래 살아남아 가지 뻗고 잎 무성해지면, 먼 길 걸어 지치고 고단한 발걸음들이 쉬어가는 그늘을 드리운다는······ (그래서 장자에게 '아무 쓸모없음의 쓸모, 무용無用의 용用'을 말하게 한······) 나무처럼 서 있다

나는 그 그늘을······, 나무의 상상력이라고 상상한다 마치 내면의 상처처럼 뻗어 나온 가지가 움켜쥔 잎은······, 사유 같다고 생각한다

만약 그렇지 않다면······ 키 낮은 관목처럼 못생기고 볼품없이 자라올라, 이제는 늙어 고목이 된, 힘줄 불거지고 메말라 갈라진 수피의 등걸로 꾸불텅 가지를 뻗고 있어, 어떤 도끼도 톱날도 쉽게 다가오지 못할

것 같은…… 저 나무가 드리우고 있는 그늘은 어떻게 설명해야 할까……

  비록 이파리 하나 먹을 수 없는……, 그래서 가죽假竹이라고 불리는……, 이 쓸모없는 나무가 가짜 중을 닮았다고 하여 가승목假僧木으로도 불리지만, 저렇게 늙은 고목으로 자라올라 거기, 무겁게 드리워진 그늘…… 바위처럼 완강할, 그늘……

  나는 그 그늘을, 허구라고 생각하지 못한다
  상상이라고……, 상상하지도 못한다

  무슨 농담인 듯 익살인 듯, 아무도 베어가는 사람이 없어 오래 살아남아, 마치 허구 같은 그늘을 드리우고 있지만

  그 그늘에 서면, 못생긴 가승목 같은 내 그림자도
  누구의 문짝 하나, 기둥 하나로 서 있을 것 같은……

결코 상상이 아닌, 허구가 아닌, 살아 있는 형상으로
서 있을 것 같은……

저기, 벌판에 나무 한 그루가 서 있다

나무가 땅에 떨어진 씨앗일 때부터, 나비를 열망하
는 상상하는 세포*를 가진 것처럼

* 조안나 메이시

콩나물에 대한 헌사

― 적滴 25

    콩나물은 힘이 세다 시금치를 먹는 팔뚝처럼 힘이
세다 물만 먹어도 독한 알코올을 해독하는 물질을 가
진다 발갛게 고춧가루를 풀면 숙취의 얼큰한 해장국
이 되어준다 처마 끝에 맺힌 물방울처럼 곧 떨어질 듯
연약해 보여도, 창문 하나 없는 독방에 갇혀서 햇살의
비밀문서를 읽을 줄도 안다 비둘기의 다리에 묶여 찾
아온 연서戀書이듯, 바람의 냄새를 맡을 줄도 안다 뿌
리는 흙 한 줌 보지 못해도, 잎을 향해 발뒤꿈치 한번
세우지 않는다 바람을 향해 곁눈질하는 수염 난 뿌리
는 거들떠보지도 않는다 그래도 고양이 목에 방울을
달 줄 안다 이 없는 잇몸도 씹을 수 있도록 물만으로,
오직 물만으로 희고 부드러운 섬유질을 만든다 마치
연목구어처럼, 그 나무에서 싱싱한 물고기를 구한 것
처럼 몸의 탄성을 기른다 그런 콩나물은, 정말 힘이 세
다 오직 물만으로 몸속의 뼈를 만들지만, 그 물의 뼈
로 일생을 세운다 그런 자신을 누가 콩나물 대가리라
고 손가락질을 해도, 모두冒頭는 뿔 한번 세우지 않는
다 그 물의 뼈로 웃어준다 소금 한 숟갈과 만나도 간단

히 국이 되어주면서, 바보처럼 웃음만 짓는다 이가 있
어도 씹을 것이 없는 입을 위해, 그렇게 쉽게 반찬이 되
어준다 콩나물은 힘이 세다 아무런 힘도 없는 힘으로,
힘이 세다

깍두기
― 적滴 26

깍두기는 무에서 떨어져 나온 작은 토막들
마치 무의 물방울 같다
베어 물 때마다 사각! 하고 존재의 소리를 내는
작고 네모나게 만들어진 이것
그러나 베어 물 때마다 사각! 나뭇잎 떨어지는 소리
를 내는 것은
씹는 이빨 사이에 무엇인가 존재한다는 것
발뒤꿈치를 들어도 부끄러운 낮달처럼 살풋 얼굴을
내미는 것은
틀니 빼고 잇몸으로 웃어도 자신이 존재한다는 것
그래, 무의 살이 무無의 살이 아니어서, 씹을 때마다
자신의 물질성을 알리는 잎을 떨어트리는 것은
씹지 않는 듯 씹어야 하는, 그 발효된 부끄러움이지
만
차라리 만지지 않고 만져야 하는, 그 추상성의 잎을
단 의문이라면
한낮을 나무처럼 서성여도 좋을 것을……
저녁의 노을 앞에 물끄러미 서 있어도 될 것을……

그 잎 그늘에, 그림자 걸어두고

만지지 않고 만져야 하는 난망한 순간을, 혀로 녹이
듯 입속에 물고만 있지만

그래, 어처구니가 있어서 맷돌이 살아 있는 돌이 되
는 것처럼

사각! 하고 씹히는 소리가 있어, 깍두기는 깍두기가
되는 것을

사각! 하고 떨어지는 소리가 부끄러워, 입속에 물고
만 있어도

깍두기는, 자신의 물질성을 알리는 존재의 잎을 떨
어트리는 것을

적滴에 대하여
― 적滴 27

적滴은, 물방울이다
무언가에 매달려 떨어질 때를 기다리고 있는……

그것은 나뭇가지에 매달려 있기도 하고, 빨랫줄이
나 전깃줄 혹은 처마 끝에 매달려 있기도 한다 풀잎이
나 넓은 토란잎에 맺혀 있기도 한다

허공에서 떨어지는 빗방울 하나일 수도 있다

물방울은 개체이다 물의 연속성에서 떨어져 나온,
자가 분열한 물의 세포 하나일 수도 있다 물방울은, 그
렇게 개별적인 존재이면서도 끊임없이 다른 물방울을
끌어당긴다 끊임없이 다른 물방울들을 부른다 다른
물방울과의 합일合一을 기다린다 그것은 자가 분열이
아니라 증폭이다 물의 연속성의 또 다른 이름이다 그
증폭을 가능케 하는 물의 표면장력은, 그러므로 끊임
없이 다른 물방울을 기다리고 손짓한다 제 무게가 제
무게를 못 이길 때까지…… 제 무게가 다른 무게와 합

쳐져 또 하나의 무게를 얻을 때까지…… 그렇게 무게 위에 무게가 얹혀 어떤 아득한 깊이로 떨어질 때를— 물방울은, 기다린다 물방울의 표면장력은 그렇게 기다린다

　그리고 다른 물방울과 겹쳐질 때의 떨림……, 그것은 전율이다

　아득한 깊이로 떨어져내리는……, 물방울의 열락이다

　저기, 나뭇가지에 매달린 물방울 하나가 바르르 떨고 있다
　물방울과 물방울의 겹침, 혹은 매혹……

　적滴은, 물방울이다
　무언가에 매달려 떨어질 때를 기다리고 있는……

라면에 바친다
— 적滴 28

언제였더라? 내가 라면을 처음 먹은 것은

얼큰한 해장국 같은 맛과 곱슬곱슬한 면발의 맛에
내가 매료된 것은

어쩌면 알타미라 동굴의 벽화를 처음 발견한 눈빛
도 그랬을까?

어둡고 축축한 동굴 속에서 몇만 년 전 인류의 발자
취를 찾아낸 듯한, 그 눈빛

돌도끼로 사냥을 하고, 잡은 짐승의 생김새를 그 동
물의 뼈로 기록하던

아, 우리의 먼 조상들 때부터 저렇게 살았구나!

그리고 그렇게 살아갈 수 있겠구나! 우리를 안도하
게 했던……,

이제 어떤 곳에 놓여도, 허기의 고통 속에서 벗어나
게 해줄 것 같았던……

그 라면 한 봉지를 사들고, 돌아오는 때면

마치 꽃이 솜으로 된 목화씨처럼 포근하곤 했었다

그것은 왕성한 식욕이 던지는 창이 아니라,

나무가 가만히 내려놓는 그늘 같은 것이었다

그 그늘에, 두어 컵의 물과 조그만 불만 있으면

수줍은 듯 끓어오르던 라면

얇은 양은 냄비 같은 방이 환하게 밝아지던, 라
면······

그 하루치의 허기 속에, 마치 목화씨처럼 묻혀 있곤
하던

오늘도 라면을 끓인다 그 그늘에, 목화씨처럼 묻혀
라면을 끓인다

그래, 목화씨는 얼마나 포근했을까, 꽃이 솜이었으
니

씨방이, 포근한 솜의 이불로 덮여 있었으니

멸실환처럼
― 적滴 29

1

처마 끝에 맺힌 빗방울이 떨어지고 난 뒤, 다음 빗방울이 매달린다 지금 떨어진 빗방울은 어디로 갔을까? 의문도 의구심도 없이, 빗방울이 매달려 반짝인다 떨어질 때를 기다리며 눈을 빛낸다 먼저 매달렸던 빗방울이 떨어진 자리, 빗방울이 사라져 버렸는데도, 사라진 자리, 또 다른 빗방울이 떨어져 내린다 마치 그 자리가 요람인 듯 흔들의자라도 되는 듯, 그렇게 떨어져 내려 사라진다 자신이 빗방울이었던 모든 흔적을 지운 채 사라진다 자신이 더 큰 빗방울이 되었다는 듯이, 더 큰 빗방울이 되어 흐르고 있다는 듯이, 저기, 처마 끝에 매달린 빗방울은 빛난다 멸실환……, 멸실환처럼 지워지면서 빛난다 이것은 결코 사라지는 것이 아니라는 듯이, 더 큰 자기 자신으로 만나고 있다는 듯이

그렇게 지워진 자리가 하나의 완성이라는 듯이……

2

그래, 물방울의 종족은 물방울뿐이다

물방울의 가계家系도 물방울로만 이루어져 있다

마치 물방울은 물방울만 낳는 유전자를 가졌다는 듯이

유사 이래, 오로지 한 핏줄 한 얼굴들뿐이다

혹시 물방울은 물방울로만 남아야 한다는 모종의 음모가 있었던 것처럼

물방울의 모계母系에서 고리 하나를 빼버린 것처럼

그러니까…… 물방울에서 다른 물방울로 진화할 수 없도록

자자손손 물방울은 오로지 물방울로만 남아야 하는 것처럼

3

그런데 저기 봐……, 웬 사람 하나가 손에 커다란 확대
경을 들고 홀로 숲을 헤매고 있다 풀벌레 소리 하나
풀잎을 스쳐가는 바람 소리 하나 놓치지 않으려는 듯
구부정히 허리를 굽힌 채
자신이 무슨 어쿠스틱 음향 채집가라도 된다는 듯이

그런 자신이 물방울이 낳은 물방울의 자손인지도 모
르고……

그것이 이 시대의 멸실환인지도 모르고……

멸치들

— 적滴 30

    저 힘없는 것들……, 그물로 건져 올리면 금방 죽는다고 하여 멸滅치라고도 부르는…… 마치 바다의 처마 끝에 매달려 있는 물방울이듯 덧없이 추락하는 것들…… 그러나 촛불이 꺼질 때 가장 밝은 빛이 타오르듯, 저들은 무수한 은빛의 비상들로 솟구친다 우아한, 발레 같은, 은빛의 군무들로 반짝인다 바다라는 무대 위에서, 빛나는 짧은 도약…… 추락은 예비되어 있는 것이 아니라 그들만의 단호한 선택이라는 듯이, 저 은빛의 도약들은 솟구친다 솟구치고 솟구치고 또 솟구쳐 오르다가 순간 긴장의 끈을 탁 놓아버리듯, 추락과 도약은 몸과 그림자처럼 둘로 쪼개진다 선택은 항상 예비의 그림자인 것처럼, 은빛의 발레 슈즈를 신고 있다 도약을 위해 팽팽히 당겨졌던 발가락들은 발레 슈즈 안에서 류마티스성 관절염을 앓듯 흉하게 일그러져 있다 추락에의 예비는 항상 그들에게 그렇게 온다 몸과 그림자가 둘로 쪼개지듯, 삶이라는 그물은 그렇게 일시에, 그것들을 거둬 올린다 그것들의 마지막 무대인 배의 갑판 위에서, 다시 삶이라는 그물에 의해 부려

져 물기 하나 없이 말라갈 때까지……, 그렇게 뼈를 일
그러뜨리며 발레 슈즈 안에 감추어져 있는 맹목의 작
은 발가락들…… 무수한 은빛의 비상들로 점철되는,
멸滅치들…… 우아한, 발레 같은, 저 군무들……

물방울 사진
― 적滴 31

마치 명화名畫 같은……
물방울에 비친 풍경이 담긴 사진을 보다가
문득 엉뚱하게 물방울에 내 얼굴을 비춰보면 어떨
까? 하는 생각이 떠올라
마당의 나뭇가지에 맺힌 물방울 앞에 선다
그러나 빛의 굴절 때문인지 초점이 맞지 않아서인
지
물방울에는 좀처럼 얼굴이 비치질 않는다
나는 더 가까이 다가가거나 뒤로 물러서 보기도 하
지만
물방울에는, 여전히 얼굴이 비치질 않는다

갑자기 내가 허영청 같다
그림자로 지은 집, 허구 같다

피사체에 대한 감정의 개입 없이 철저히 사실을 남
긴, 이 사진 한 장……

텅 빈 공백을 공백으로 인화한, 사진 한 장……

아무도
증언하지 못할 '증거'에
멈추어져 있다
허공의,
맑고 투명한 표면장력의 액자 속에, 하나의 장면으로
움직일 수 없는 '증거'를
전달하고 있다

수십 수백 장의 종이가 필요한 이야기를, 단 한 장에…… 기록하고 있다

맑고 투명한 물방울들은……

그 물방울의 사진들은……

물방울 유희
— 적滴 32

굶주려 힘없이 죽어가는 아이 앞에 독수리 한 마리
가 앉아 있다
　아이가 지쳐 쓰러질 때를 기다리는, 퀭한 눈빛
의……*

　언어가, 때론 이렇게 폭력적일 때가 있다 늘 시체만
바라보아 무감각해진, 아프리카의, 그 독수리의 눈빛
을 닮은……

　처음 꽃제비라는 말을 들었을 때, 나는 그 눈빛을 떠
올렸다

　꽃과 제비의 합성어 같은……, 그 언어에서 희화화
된, 익살스러움으로 위장된, 폭력성을 떠올렸다

　그러나 꽃제비가, 떠돌아다니는 방랑자라는 뜻의
러시아어 '꼬체비예'에서 따온 은어라는 것을 알았을
때

나는 안도(?)했었다 은어는 언제나 두 개의 얼굴을
가지므로
거울의 뒷면처럼, 겉으로 드러나지 않은 또 하나의
얼굴을 숨기고 있으므로

그래, 그것을 무의식이라고 해도 괜찮겠다
상처이면서 아닌 듯한 표정을 한, 다면체의 얼굴이
라고 해도 괜찮겠다

마치 물방울에 물방울이 겹쳐도, 물방울은 언제나
하나의 얼굴이듯이……

그러므로 꼬체비예…… 너의 의미는 떠돌아다니는
방랑자라는 뜻이지만
그것이 꽃제비로 불리면, 그 속에는 결코 놓칠 수 없
는 가느다란 희망의 끈이 매달려 있는 것을 본다

꽃제비가, 꽃과 제비의 합성어이듯이······ 그리고 꽃과 제비는
봄의 상징물이듯이······

그래, 그렇게 두 개의 물방울이 겹쳐도, 하나의 물방울이 되는
맑고 투명한 표면장력을 보아라

상처이면서 결코 상처가 아닌 얼굴을 한, 또 하나의 상처를······
그 무의식의 욕망을······

결코 분리 불안의 쇠사슬을 절경이지 못하는, 그 의미의 표면장력을······

* 케빈 카터의 사진

4부

그렇게 허공을 밟고 섰다

포에지 푸어 1
― 적滴 33

　너는 없는 것처럼 있다 아무도 너의 존재를 몰라보
지만

　너는 모든 것을 보고 있는 듯이 있다 모든 것을 보
고 있는 것이

　유령의 형체처럼 만져지지도 않지만 너는 너와 만나
는

　모든 것을 유체처럼 통과한다 유체처럼 통과하므로
누구도

　너의 존재를 알아보지 못하지만 너는 안다 자신이
지금

　누구의 육체를 지나왔는지 무엇의 몸과 함께 머무
르며

　숨결을 심장의 두께를 느끼며 그것의 체온이 얼마
나 따듯했는지

　차가왔는지 만져도 느껴지지 않는 손길로 눈빛으로
지나왔다

　그러나 세상은 여전히 너를 유령처럼 바라본다 꼬
집으면

아프고 한 끼를 굶으면 허기에 시달리는 고된 육신
을 가졌다는 것을

모른다 모른 척한다 그냥 유체이탈처럼 너를 바라보
며

역시 유령처럼 스쳐 지나간다 그때마다 너는 일회용
으로

포장되고 무덤이라고 느낀다 그것을 잊기 위해 사유
또한

유리의 벽을 투과하는 햇볕처럼 차가운 언어의 벽
을 혼신으로

스며들지만 그것 또한 일회성으로 포장되고 소모될
뿐……

아무도 기억하지 않는다 누가 그랬지? 돈이 되지 않
는 것은

치욕일 뿐이라고…… 혼자 책을 뒤적이며 사색에 잠
겨 보지만 생각은

생각일 뿐…… 그냥 유체처럼 너를 통과해 간다 그
렇게

유체이탈하는 것은 생활일 뿐— 남루하게 누더기

누더기 기워 입은 것 같은 사유만 광고 끝난 거리의

전광판처럼

녹슬고 쇠락해 갈 뿐이다 그래도 너의 눈은 빛난다

물방울 거울처럼 빛난다 물방울 거울에 비친 모든

것은

마치 얼음 조각彫刻처럼 맺혔다 스러지지만, 너의 눈

은 빛난다

자신을 유체 같다고 생각하므로 어느 무엇에도 일

회용으로

소비되고 소모되지 않는다는 듯이……

포에지 푸어 2
— 적滴 34

무슨 멸실환滅失環 같다

힘들게 지었는데 금세 뜯긴 가건물 같기도 하다

몸에 물 한 방울 안 묻히고 인간 개구리들이 책의
강을 건너갔는지*

대형 서점 구석으로 밀려난 시집 코너 같은 얼굴을
하고 있다

아니면, 지난 궁핍했던 시절을 체험하기 위해 청계
천변에 지어 놓은

일일 관광 숙박용 움막 같은 표정이라고 해야 하
나……

자신은 분명 여기 있는데 없는 것 같은 낯빛이다

멸실환…… 한때 있었지만, 지금은 흔적도 없이 지
워져버린

그 멸실환에 대해 숙고하고 있는 듯한 포즈이다

그래도 눈빛만은…… 눈빛만은 메마른 벌판에 떨어
진

물 한 방울 같아 보이기도 하지만, 구부정한 걸음걸
이는……

미쳐서 살다가 죽을 때 비로소 제정신인

사람 같기도 하다 아니, 방금 지나온 인파로 북적이는 시장의

상점들의 거리를 문득 뒤돌아보다, 소금 기둥으로

굳어버린 것 같기도 하지만…… 적막만이……

적막만이 자신이 돌아갈 집이란 것도 알고 있는……

그 물방울 하나가 혼밥 아니, 혼魂밥이라는 것도 알고 있는……

또 그렇게 시간의 쓰레기통에 버려져 갈 것이란 것도 알고 있는……

그래, 한때 존재했었지만 사라져버린…… 그 멸실환처럼……

그것이 무슨 유토피아인 것처럼……

* 김영하 소설 『살인자의 기억법』에서

분수령 1

— 적滴 35

분수령을 넘는다 분수령을 어떻게 넘을까 생각하지 않아도 분수령을 넘게 되고 분수령을 넘는다는 생각 없이도 언젠가는 분수령에 다다른다 그렇게 분수령을 넘는다 이제 어디로 발걸음을 옮겨야 할까 뒤돌아보면 선명한 발자국과 희미한 발자국이 뒤섞여 있다 한 사람의 생의 궤적이 무늬져 있다 지우고 싶어도 지워지지 않는다 대체 신발은 몇 켤레나 닳은 것일까 닳아 해진 신발이 진종일 채석장에서 돌 깨다 온 것 같다 무슨 암각화 같다 뼈로 새겨진 그 무늬를 보며 힘겨워도 넘어야 한다 그렇게 넘는 순간 또 하나의 분수령이 까마득히 보인다 안개에 싸인 설산처럼 보인다 해발 고도 육천 미터가 넘는 히말라야의 고봉高峰들이 구름 속에 묻혀 있다 인간의 발길을 허락하지 않는 완강한 거부처럼 보인다 그러나 발걸음을 떼야 한다 한 걸음을 내딛는 순간부터 희미하거나 선명한 발자국이 다시 찍힌다 그 족적들이 남은 생의 무늬가 된다 그 발자국이 어떤 무늬로 찍힐지는 아무도 모른다 그것을 알 때까지 다시 발걸음을 내디뎌야 하고 그렇게 또 하나의 분수령을 넘어야 한다 대체 몇 개의 분수령을 넘어야 마지막 분수령에 다다를까 그렇게 묻고 질문하는 순간이 또 하나의 분수령일 수 있다 그렇게 다 해진 신발을 끌며 다시 분수령을 넘는다 이것이 분수령인 줄도 모르고 분수령을 넘는다 발자국과 발자국 사이에 긴 강이 흐른다 기억이거나 혹은 전율이다 그 기억 속에 일생이 차곡차곡 쌓인다 낙엽 밟는 발소리도 들리지 않는다

　저기, 물의 신발 하나가 떨어져 있다
　자신의 몸이 닳고 닳아야 겨우 존재하는……

분수령 2
— 적滴 36

저것도 분수령일까 무슨 민둥산 같다 아무도 찾지 않는 빈, 공터 같다 적막만이 어슬렁거린다 삼포 갔다 돌아온 떠돌이 날품팔이 같다 이제 날품을 팔 힘도 남아 있지 않아 그 자리에 풀썩 주저앉을 것 같다 사람 살다 떠난 폐가라면 헌 신발짝이라도 뒹굴고 있을 텐데 찌그러진 냄비 깨진 그릇 쪼가리 하나 보이지 않는다 적막만이, 적막만이 빈 공터를 어슬렁거린다 바지 주머니에 두 손 찔러 넣고 아무 생각도 느낌도 없이 산책을 하듯 어슬렁거린다 간혹 바람이 불어도 넝마 같군! 하는 표정도 내비치지 않는다 자신이 넝마라고 생각하는 넝마도 이미 벗은 것 같다 낡고 해진 신발만이 속에 담긴 것이 허공 같군…… 하는 표정을 짓고 있다 닳고 해져 이제 더 닳고 낡을 것 하나 남지 않은, 그런 표정을 하고 있다 그러나 적막은 늙고 털 빠진 반려의 목덜미를 어루만지듯 풀어진 신발 끈을 여며주고는 한다 조금 더 걷자고…… 조금만 더 걸으면 끝난다고…… 지금까지의 수고를 어루만지고 있다 어쩌다 공터가에 피어 있는 작은 풀꽃 하나와 마주친다 그때야 젊은 날

의 얼굴 같군……, 하는 표정을 잠깐 떠올린다 그러나
그것도 그뿐…… 다시 낡고 해진 신발을 끌며 민둥산
같은 억새 하나 흔들리지 않는 빈 공터 같은 길 위에
선다 어디선가 난데없이 뚝 떨어진 물방울, 물방울 같
다 땅에 스며들면 흔적 하나 남지 않는……, 그런 물방
울 같다 적막은 그렇게 허공을 밟고 섰다 밟고 서 있다
마치 그 공터의 임자인 것처럼…… 반려인 것처럼……

하여가

TV에서

복면을 한 가수가 하여가를 부른다

하여가? 그것은 고려 말 정몽주에 대한

이방원의 회유의 글이 아닌가

그 하여가를, 복면을 한 가수가 부르고 있으니

뭔가 흥미롭고 새로운 느낌이 들기도 한다

아무렇게나 내뱉는 듯한 랩송의, 빠른 호흡의 리듬
과 가사가

양철 지붕에 떨어지는 빗소리 같기도 하지만

눈여겨 듣고 있으니, 쓸쓸하면서도 우수에 젖은 듯
한 노래의 의미가

가슴에 젖어오기도 한다 "부푸는 내 맘속엔 항상
네가 있었어……

이제 너를 바라봐도 아무런 느낌이 없지만

언제나 나만의 연인이라 믿어왔던 내 생각이 들키
고 말았어……"

가사가 뒤죽박죽으로 뒤엉켜 대체 무슨 말을 하는
지도 모르게

툭 툭 끊어지고 토막이 나서 들리기도 하지만

뭔지 모르게 애잔한 우수가, 홀로 바닷가를 거니는 듯한

쓸쓸함이 가슴을 적셔오기도 한다

복면을 한 가수는 좋겠다

제 얼굴을 드러내지 않아도 되니……

제 얼굴을 드러내지 않고도, 슬픈 사랑 노래를 전혀 슬프지 않은 듯 부를 수도 있으니……

마치 양철북을 두드리는 철없는 꼬마 병정의 모습으로

이런들 어떠하리 저런들 어떠하리…… 그 하여가에 빗대어

이 시대의 햄버거식 사랑 같은…… 슬픈 사랑 이야기를

저렇게 빠른 리듬의…… 잘 알아듣지도 못할, 툭 툭 내뱉는 듯한 말투로 노래 부를 수도 있으니……

풍자건 해탈이건…… 어떤 버라이어티도 허용되는……

저 얼굴 없는 세계……

오직 노래로만 노래의 가치를 증명하는…… 그 익명
의 세계

마치 양철 지붕에 떨어지는 빗소리 같은…… 구어
체 리듬의

그 낯섦 속에서도…… 저렇게 우수에 젖어

쓸쓸함에 젖어

허영청에 들다
― 적滴 38

허영청은, 그림자로 지은 집
그림자로 지어서, 없는 집

그러나 없는 집을 있는 집처럼 살고 있는 사람도 있
다

그림자로 만들어진 사람이다 그림자로 만든 집에
서…… 그림자처럼 살고 있는 사람이다

집엔 그림자 침대가 놓여 있고, 그림자 부엌에서 그
림자 식기들이 달그락거린다 그림자 식탁에서 그림자
식사를 한다 그림자 변기가 그림자 배설들을 빨아들
이고, 그림자를 먹고 포만해진 사람들이 이를 쑤시며
하품을 하기도 한다

평화로운…… 휘영청 달 밝은 밤 같은, 허영청
달빛이 휘영청 쏟아져 내리는 밤 같은, 집……

그러나 한 발짝 내디뎠을 뿐인데, 캄캄한 밤이다 한
치 앞도 분간할 수 없는, 칠흑의 밤이다

누가 언제 싱크홀에 빠졌나?
대체 여기가 어딘지 구분조차 되지 않는다

마치 롤러코스터를 탄 것 같은, 이 생의 돌발 상황을
뭐라고 해야 하나?
다만 운이 없었을 뿐이라고 말해야 하나?

장애인 시설을 둘 수 없다고 시위를 하던 사람 중 하
나가, 밤사이 장애인이 되어 있다 공사판의 맨홀 뚜껑
은 언제든 열려 있다 도대체가 오리무중이다 급발진의
차가 벽을 뚫고 돌진을 한다 불붙은 LPG 가스통이 갈
지자로 날아다닌다

마치 갖가지 불행을 좌판 위에 올려놓고 떨이로 파
는, 시장통 같다

한 치 앞이, 낙하다
한 치 앞이, 추락이다

그러나 나만은, 내 집만은 안전할 것이라는…… 그
어떤 재난도 남의 일이라는…… 결코 내 것이 아니라
는…… 표정들을 하는

허영청은, 그림자로 지은 집
그림자로 지어서, 없는 집

혼밥, 혹은 혼魂밥
　　— 적滴 39

　혼자 밥 먹는 거…… 마치 처마 끝에 매달려 떨어질 때를 기다리는 물방울 같은 거……

　일할수록 더 가난해지고 지겹도록 일을 해도 제자리를 못 벗어나

　꿈도 희망도 포기한 민달팽이 세대처럼…… 혹은 n 세대처럼

　모든 걸 포기하고 무연無緣사회로 가는 길목에서, 혼자 밥 먹는 거 같은……

　마침내 저녁이 없는 삶이어서, 걸으면서 컵라면이나 김밥으로 한 끼를 때우면서

　컵라면이나 김밥 한 줄의 없는 영혼을 상상하는…… 없는 영혼을 상상하므로

자신도 없는 존재라고 생각하면서…… 스스로 없는 존재라고 생각하므로

비로소 존재한다고 느끼면서…… 그렇게 물방울처럼 떨어질 때를 기다리는……

그렇게 물방울처럼 떨어질 때를 기다리고 있는…… 이 결심이…… 다짐이…… 추락이…… 낙하가……

혼밥의 혼이라고, 눈을 빛내고 있는 것 같은…… 그래, 아무리 일을 해도 가난을 못 벗어나는 워킹 푸어처럼

그렇게 스스로 포에지 푸어가 되어…… 아무런 의미 없이 떨어지는

물방울 하나의 의미를 위하여…… 낮은 처마 끝에 매달려서도

추락의……, 그 빛나는 순간을 기다리는……

모과꽃이 피었다
— 적滴 40

모과나무에는 못생긴 모과만 열리는 줄 알았는데, 뒹굴어 다니는 돌멩이처럼 울퉁불퉁 보잘것없는 모과만 달리는 줄 알았는데,

모과꽃이라니! 모과나무에도 꽃이 피나? 도대체 모과나무에서 꽃이 피리라고는 상상조차 못 하면서 쳐다보았는데,

저것 좀 봐, 모과나무의 꽃이 저리 곱다니! 엷은 분홍빛으로 물든 꽃잎이 저리도 수줍게 피어 있다니!

대체 이게 뭐지? 눈앞에 켜켜이 낀 거미줄을 걷어내듯 눈을 껌벅였을 때, 거기, 마치 내면의 흔적처럼 떠올라 있는 형상……

대체 이게 뭘까? 손으로 조심스레 쓸어보듯 가만히 눈으로 짚어보는 꽃의 자태…… 누구의 눈에 뜨일까 숨은 듯 피어 있는 꽃잎……

그래, 흐르는 구름을 닮았다 그것도 아침놀 빛을 머금고 흐르는 구름……

그렇게 상상해야 내가 모과처럼 영글어 갈 것 같은……, 누구의 손톱도 다가오지 못하도록 돌처럼 단단하게 익어 갈 것 같은……,

저 모과꽃…… 열매는 그렇게 돌처럼 딱딱하게 굳어 있지만, 그 돌처럼 딱딱하게 굳은 모과를 익히기 위해

꽃의 향기를 제 열매 속으로 스며들게 한 것 같은, 누구도 깨트리지 못할 의지를 제 과육 속에 감추어 둔 것 같은,

저기 봐, 모과꽃이 피었다 뒹굴어 다니는 돌멩이처럼 아무리 보잘것없는 것이라도, 그 잠든 영혼을 깨우면 된다는 듯이……

말벌, 또는 말 벌 이야기

— 적滴 41

말벌에 대해 생각한다 내가 언제 말벌에 쏘였나? 싶지만, 말벌에 대해 생각한다 말벌이라니! 왜 갑자기 말벌이 떠오르는 것일까? 혹시 말벌에 대한 트라우마가 있는 것일까? 육식성인……, 사람에게 치명상을 입힐 수도 있는 강한 독을 지닌……, 말벌의 침 같은, 말의 벌…… 얼굴을 불에 덴 듯 화끈거리게 하고 벌겋게 부풀어 오르게 하는……, 끝내 의식을 잃게 해 혼수상태에 빠트리기도 하는……, 마치 말의 블랙홀 같은……, 꿀벌들의 천적이며 사마귀와도 싸우고 독거미인 타란툴라와도 싸우는, 그런 호전성을 가진 말벌 같은…… 말의 벌 언제 어디서 날아올지 모른다 풀숲을 지나다가도 숲의 오솔길을 산책하다가도 그것들은 윙윙거린다 주택가의 골목 지붕 밑에도 은밀하게 말벌들의 집이 놓여 있다 집 속에는 아직 발설되지 않은 언어의 낱말 같은 애벌레들이 촘촘한 육각형의 방마다 박혀 있다 그 애벌레들이 변태하고 탈피를 하면 육식성의 말벌들이 날아오른다 날아올라, 상대가 무엇이든 사정없이 달려들어 치명상을 입히는 날카로운 침을 번뜩인다 하나의 낱말이 부족하면 수많은 낱말로 이루어

진 언어로 무차별 공격한다 그것이 말벌들이 생존하
는 방법…… 그것이 말벌들이, 이 세계를 살아가는 방
법…… 배려 따위 없다 상대방이 쓰러지거나 도망칠
때까지 말벌들의 침은 집요하게 급소를 노린다 그것이
말벌들이 자기 세계를 지키는 무기……, 날카로운 침은
자신들의 세계를 지키는, 정체성…… 인간의 얼굴 따
위 쳐다보지 않는다 자신들의 경계를 침범하는 경쟁
상대만 있을 뿐이다 그것이 자신들의 세계를 지키는
유일한 방법…… 저것 봐! 풀숲이 아닌데도 자신들의
영역을 침범하지 않았는데도, 말벌들이 위협적으로 노
려보고 있다 타인 출입금지의 경고음을 울리고 있다
그것이 말벌들의 세계를 구성하고 있는, 또 하나의 자
아……

　　그런데 내 시집은 괜찮나?

　　혹시 낱말들의 방마다 말벌들의 애벌레들이 변태를
기다리고 있는 것 아냐?

사진
— 적滴 42

사진이, 물 한 방울 같을 때가 있다 목 뒷덜미에 똑 떨어져 소스라쳐
뒤를 돌아보게 하는……
뒤돌아보게 하며, 움직일 수 없는 증거를 목격하게 하는…… 피사체에
대한 감정의 개입 없이
철저히 사실을 응시하게 하는…… 그 물 한 방울 같을 때가 있다
오늘, 뉴욕 맨해튼의 지하철역에서 한 술 취한 흑인에게 떼밀려 선로에
추락한 사람이
플랫폼으로 오르려고, 안간힘을 쓰다가
가까이 다가온 전동차를 멍하니 쳐다보고 있는……, 그 절체절명의 순간이
사진에 담겨, '이 사람은 곧 죽을 것이다'라는 문구와 함께, 신문의 일면에
톱기사로 장식된 것을, 본다
목 뒷덜미에 차가운 물 한 방울이 떨어지는 것 같다

나는 서늘히 뒤돌아본다

만약 그때, 내가 그 자리 있었다면 어땠을까?

재빨리 달려가 손을 내밀었을까? 아무도 손을 내밀지 않는, 마치 남의

일인 듯 쳐다보고 있는

사람들 사이에서, 혼자 불쑥 손을 내밀었을까? 혹시 나도 모르게

아무도 손을 내밀지 않는 증거에, 카메라의 앵글을 맞추기 위해

주춤거리지 않았을까? 그사이, 직업적 본능과 양심의 고뇌 사이

이 사진 한 장이 남겨진 것 아니었을까?

마치 착한 사마리아인의 얼굴처럼, 아무도 증언하지 못한 '증거'에 멈춰

서서

피사체에 대한 감정의 개입 없이, 철저히 '사실'에 멈춰서서

마른멸치

— 적滴 43

제발 이 물고기를 바다로 돌려보내 주세요*

* 비디오 아티스트 백남준이 화가 윤명로에게 보낸 편지

감각적 응시의 표면장력

이병국(문학평론가)

1. 일생이 불러오는 결정

　김신용의 시에 대한 기억을 떠올려보면 어떤 황량한 인간의 모습과 조우하게 된다. 서울의 어느 산비탈 판자촌, 그 폐허의 먼지를 뒤집어쓰고 걸어 나오는 한 남자의 선명한 이미지가 그에게는 있다. 그것은 어쩌면 한국 문학사에서 그가 점유하고 있는 80년대 노동자 문학, 혹은 누구 말마따나 도시 빈민의 문학의 자리에서 기인한 것인지도 모르겠다. 첫 시집 『버려진 사람들』(1988, 고려원)에서 스스로를 '잡부'와 '어느 행려병자'의 양태로 명명한 것 때문일 수도 있고, 두 번째 시집 『개 같은 날들의 기록』(1990, 세계사)에서 기록하였듯이 "철거촌의 부서져 흩어진 잔해처럼 몸 오그리고 밤을 지새"운 이후에도 "넋은 아무리 철거되어도" "새벽이면, 또 어느 일당에 몸 팔러 가기 위해"(「개 같은 날 1」) 자신을 일으켜야만 하는 참혹 때문일 수도 있다. 이를 육체적 자기 직시 혹은 자기정립의 단계였다고 한다면,

그 이후는 '철거된 넋'을 회복하기 위한 고투의 과정이라고 할 수 있겠다. 그 과정을 통과한 시인의 앞에 놓인 것은 한 방울의 물방울, 그리고 물방울의 표면장력과 거기에 비친 '나'이다.

표면장력이란 액체가 표면적을 될 수 있는 대로 작게 하려고 그 표면에 작용하는 힘을 말한다. 표면장력은 액체의 분자들 사이에 서로 끄는 힘이 작용하고 있기 때문에 일어나며 그 힘이 크면 클수록 둥근 모양이 된다. 물방울은 그 자체로 언제 터질지 모를 긴장감을 내포하고 있는 셈이다. 분자들 간에 끌어당기는 힘이 약화되거나 사라지게 되면 물방울의 형태는 파괴되고 말 것이다. 떨어지지 않기 위해 서로를 꽉 움켜쥐어야만 스스로를 지킬 수 있다는 위태로운 긴장은 '나'가 무위의 세계로 전락하기 위해 아등바등하게 살아온 삶의 환유이다. 그렇다면 물방울의 표면장력이 움켜쥔 것과 '나'가 붙잡아야 했던 것은 무엇이라고 말해야 하나.

그것을 말하기 전에 나뭇가지에 맺혀 있는 물방울에 대한 김신용의 감각을 규정할 필요가 있다. 시집을 여는 「서시-적滴 1」을 보자.

나뭇가지에 물방울이 맺혀 있다 맺힌 물방울이

떨어지면 또 다른 물방울이 와 맺힌다 떨어지는 물
방울에는 떨어지고 싶지 않은 머뭇거림 주저가 있다
는 듯이, 떨어지지 않으려고 꼭 움켜쥔 장력掌力이
있다는 듯이, 물방울이 떨어진 자리 또 다른 물방울
의 결정結晶이 와 매달린다

  (······)

  맺힌 자리에 또 맺히는, 저 응시의 표면장력

  (······)

  그 물방울이 목 뒷덜미에 똑, 떨어진다

  나는 깜짝 놀라 뒤돌아본다 아무도 없다 그러나
나는 누군가가 있었을 것 같은 느낌으로 멍하니 서
있곤 한다 목 뒷덜미에 물 한 방울 떨어졌을 뿐인
데, 그것이 마치 손톱자국처럼, 가슴속에 아프게
할퀴고 간 상처인 것처럼 문득 뒤를 돌아보게 하는
것, 스스로를 바라보게 하는 것

  (······)

  맺힌 물방울이 떨어지면, 그 자리
  또 다른 물방울의 얼굴이, 가만히 와 겹친다

                 - 「서시-적滴 1」 부분

나뭇가지에 물방울이 맺혀 있다가 '나'의 목 뒷덜미에 떨어진다. 찰나의 자극은 스스로를 뒤돌아보게 한다. 누군가가 거기 있어 '나'로 하여금 뒤돌아보게 하지만 아무도 없다는 것을 '나'는 본다. 하지만 '나'는 안다. 아무도 없다고 생각한 그 자리에 분명 있을 것이라고 가정되는 어떤 존재가 있음을. 그것이 "맺힌 자리에 또 맺히는, 저 응시의 표면장력"으로 나를 보고 있다는 것을. 한편으로, 그것을 이끈 것이 '나'가 수행하는 '응시의 표면장력'이라는 것을 깨닫는다. '나'의 응시와 그로 인해 끌어낸 존재의 응시는 그러나 마주치지 못한다. 그것이 안락한 존재의 회고의 방식이 아닌 불안한 존재의 긴장이 남기고 간 상처로 여실히 감각되기 때문이다. 그 상처의 감각은 "또 다른 물방울의 결정結晶"을 이끌며 생에 대한 익숙한 경험을 반복 상상하게 한다. 그로 인해 시인은 자신의 상처를 헤집으며 현재의 불가해한 안온함에 대해 질문하고 그 실체를 규명하고자 한다.

2. 증언하지 못할 증거로부터

김신용의 이번 시집은 물방울 적滴에 대한 시인의 감각을 한 편 한 편 누적하며 적積을 확장시킨다. 그것은 각 시편의 개체성이 물방울의 장력처럼 연속된 다른 시편의 결정을 이끌어 오는 영속성에 기인한다. 그렇게 이끌려 온 시편들은 개별 존재에게 '생의 돌발성'으로 감각된다, 마치 '싱크홀'처럼. '생의 돌발성'은 목 뒷덜미에 떨어진 물방울이 일깨운 감각을 통해 "자신은 분명 여기 있는데 자신은 사라졌다"(「싱크홀-적滴 2」)는 존재론적 인식으로 확장된다. '나'가 조금 전까지 있던, 그래서 지금은 사라져 없는 자리에 다른 존재를 불러오는 방식으로 시는 나아간다. 구체적 삶의 자리에서 도시 빈민 혹은 노동자로 결박당해야만 했던 김신용의 시선은 "30년을 살다 30년 전에 떠났는데 30년 후에 다시 와"(「고래 뱃속-적滴 3」) 사회학적 인식에 존재론적 성찰의 깊이를 더한다.

이전까지 시인이 감당해야 했던 세계는 "낡아/폐가처럼 허물어지고 있으면서도, 풀잎에서 떨어지지 못하고/완강히 놓여 있다." 그 세계는 한때 시인이 가졌던 '행복한 거처'로 자신의 전 존재를 의탁한 집이었을지 모르겠으나 지금은 "불면 먼지처럼 지워질/얇디얇은 껍질"인 "밀폐의/집"(「존재의 집-적滴 5」)이다. 이 세계는 개체들의 관계를 삭제한 세계이며 고립된 만큼 지극히 폐쇄적인 세계였다. 그곳에서 시인은 바싹 마른 몸을 지탱해 온 셈이다. 물론 그것은 지금 여기에 고통스럽고 괴로운 시절에 대한 회한으로 작동하지 않는다. 이는 시인이 살아온 삶의 궤적을 고려할 때, 생의 치열을 온몸으로 겪음으로써 당도한 시적 사유 때문일 것이며 익숙한 방식의 삶의 재현이 아닌 수없이 많은 경험의 편린들을 경유하여 폐쇄된 세계를 꿰뚫은 인식 전환의 결과라고 정리할 수 있을 것이다.

시인은 아무도 자신의 존재를 몰라보았던 때부터 "차가운 언어의 벽을 혼신으로" 꿰뚫고 왔으며 "일회성으로 포장되고 소모될 뿐"(「포에지 푸어 1-적滴 33」)인 세계를 거쳐왔다. "대형 서점 구석으로 밀려난 시집 코너 같은 얼굴"처럼 "한때 존재했었지만 사라져버린"(「포에지 푸어 2-적滴 34」) 시대의 참혹을 건너왔다. 여전히 세계는 시인으로 하여금 상실을 강요하며 그것이 무슨 유토피아인 것처럼 기만하지만, 난데없이 떨어지는 물방울의 장력을 감각하는 한 시인에게 좌절을 안기지는 못한다.

그러나 여전히 그러한 세계 속에 사는 존재가 있다. 그것은 시인으로 하여금 지속적으로 시를 쓰게 하는 정동이 된다. 존재로 하여금 타자를 착취하고 허황된 꿈을 갖게 하며 "갖가지 불행을 좌판 위에

올려놓고 떨이로 파는"(「허영청에 들다-적滴 38」) 지
독한 환멸의 세계 속에서 "없는 집을 있는 집처럼 살
고 있는 사람"을 외면할 수 없는 것이 또한 시인의 길
이기 때문이다.

　　노숙자를 위한 시 창작 강의실에 선다
　　마치 외계에서 온 낯선 신호를 수신하는 듯한 눈
빛들이 보인다
　　교환 가치가 없는 것은 아무런 쓸모가 없는 것이
되는, 시대에
　　대체 시란, 어떤 의미가 있는 것일까?
　　그러나 시 속에는 우리들이 매일 잊으며 살고 있
는, 향수 같은…
　　고향을 향한 그리움 같은… 그런 마음의 양식이
들어 있다고
　　만질 수는 없지만, 냄새 맡을 수는 없지만
　　물질로는 바꿀 수 없는, 무형의 가치가 들어 있다
고…… 말한 뒤
　　나는 살 한 점 없는 생선 뼈처럼 부끄러워진다
　　과연 그럴까? 시가 저들에게 빵 하나 햄버거 한
개보다 더 가치가 있는 것일까?
　　그래도 나는 용기를 내어 말한다. 시 속에는

인간에 대한 존엄, 타인에 대한 배려와

섬김의 의미가 내재되어 있다고

그것은 나무나 풀에게도 마찬가지라고

또 그것이 인간을 인간답게 하는, 시의 기능이라
고 설명한 뒤

여전히 해독할 수 없는, 어떤 상형의 의미를 짚어
가는 듯한, 눈빛들을 되짚어 본다

그 눈빛들이, 지금 내가 해독할 수 없는

미지의 언어 같다

나는 다시, 살 한 점 없이 부끄러워진다

교환 가치가 없는 것은 아무 쓸모가 없는, 잉여가
되는 시대에

대체 시란, 어떤 것이어야 할까?

자문自問하듯, 돌아서며 바라본 강의실 창밖의
뜨락에는

앵두꽃이 피었다 진 자리, 발진처럼

빨갛게 앵두들이 맺혀 있다

마치 외계에서 온, 발신인도 없는

낯선 신호를 수신하는, 눈빛처럼……

                              - 「앵두-적滴 23」 전문

화자는 노숙자를 대상으로 하는 시 창작 수업을 진행하며 시를 낯설어 하는 그들의 시선과 마주하게 된다. "빵 하나 햄버거 한 개"와 달리 당장의 굶주림을 면하도록 어떠한 기능도 하지 못하는 시가 그들에게 어떤 의미를 지닐 수 있는지 스스로에게 질문한다. 화자는 노숙자들에게 당장의 육체적 허기를 채워줄 양식만이 삶의 전부는 아니라고 말한다. "우리들이 매일 잊으며 살고 있는" "물질로는 바꿀 수 없는, 무형의 가치가" 시에는 들어 있다고 말하지만, 이는 그 말의 가벼움으로 인해 노숙자는 물론 화자 자신에게도 가닿지 못한다. 화자가 노숙자 앞에서 이야기하는 인간에 대한 존엄이나 타인에 대한 배려, 그리고 섬김의 의미는 그들의 삶에 낯설고 허울뿐인 것으로 실감의 영역에 포섭되지 못한다. 서로의 언어는 '미지의 언어'로 미끄러지기만을 반복한다. 그것이 화자에게는 난감과 당혹으로 경험되며 일종의 충격으로 다가온다. 시의 외부에 존재하는 사람들에게 어떠한 쓸모도 되지 못하는 시는 그럼 어떤 의미인 것일까를 묻는 화자는 완강한 저항에 봉착하게 된다.

　'포에지 푸어'로 자신을 명명한 시인에게 노숙자의 허기는 자신과 분리할 수 없는 삶의 감각일 테지만, 육체적 욕망의 실재 앞에서 인간의 존엄과 같은 무형의 가치를 운운하는 것은 부끄러움만을 불러온다. 이 부끄러움의 실체는 시대와 불화하는 시인의 양태와 따로 떨어져 생각할 수 없다. 시인이란 그 낯설고 해독할 수 없는 미지의 언어를 수신해야 하는 존재이다. 당혹스러움 앞에서 좌절하기보다는 시대가 요구하는 바, 이를테면 한 끼의 식사와 같이 교환가치로만 의미를 지닐 수 있는 것 앞에서 잉여의 '씨'를 찾는 노력을 이어나가야 한다. '쓸모없음의 쓸모'의 그늘을 상상하려는 분투. 그럼으로써 "허구가 아닌, 살아 있는 형상으로 서"(「저수에 대하여-적滴 24」)도록 하여 시가, 그리고 소외된 존재가 "어느 무엇에도 일회용으로/ 소비되고 소모되지 않"(「포에지 푸어 1-적滴 33」)게 이끌어야 하는 존재가 시인이기 때문이다.

그러나 시인이 목격하는 지금의 세계는 생존을 위한 고투로 인해 강퍅한 존재만을 만들어낸다. 그들은 타자에 대한 혐오와 적대감으로 서로를 향해 끔찍한 폭력을 수행한다. 호전적인 존재만이 살아남을 수 있다는 듯이 끊임없이 상대방을 향해 "날카로운 침을 번뜩"(「말벌, 또는 말 벌 이야기-적滴 41」)이며 사정없이 달려들어 치명상을 입히려고만 든다. 그들에게 세계란 "자신들의 경계를 침범하는 경쟁 상대만 있"는 곳이어서 "자신들의 세계를 지키는 유일한 방법"은 오로지 상대를 제압하는 일이라고 여긴다. "피사체에 대한 감정의 개입 없이, 철저히 '사실'에 멈춰 서서" 무엇도 증언하지 못한 채 피해 사실의 여부만을 '증거'로 남기려고 하는 서늘한 세계. 우리는 우리를 적敵으로 간주하는 그 세계 앞에 멈춰 아무런 증언도 못하는 존재가 되어서는 안 된다. 그렇게 하기 위해 우리는 우리의 얼굴을 물방울에 비춰보아야 하는지도 모른다.

3. 추락으로의 예비, 그 텅 빈 공백의 뼈

마당의 나뭇가지에 맺힌 물방울 앞에 선다
그러나 빛의 굴절 때문인지 초점이 맞지 않아서인지
물방울에는 좀처럼 얼굴이 비쳐지질 않는다
나는 더 가까이 다가가거나 뒤로 물러서 보기도 하지만
물방울에는, 여전히 얼굴이 비치질 않는다

갑자기 내가 허영청 같다

그림자로 지은 집, 허구 같다

피사체에 대한 감정의 개입 없이 철저히 사실을
남긴, 이 사진 한 장……

텅 빈 공백을 공백으로 인화한, 사진 한 장……

아무도
증언하지 못할 '증거'에
멈추어져 있다
허공의,
맑고 투명한 표면장력의 액자 속에, 하나의 장면
으로
움직일 수 없는 '증거'를
전달하고 있다

- 「물방울 사진-적滴31」 부분

　물방울에는 맑고 투명한 풍경이 비친다. 그 풍경
속에 위치한 화자는 자신의 얼굴을 물방울 속에서
발견할 수 없다. "빛의 굴절 때문인지 초점이 맞지
않아서인지" 알 수 없지만 물방울의 표면장력이 화

자를 밀어내는 셈이다. 맑고 투명한 세계를 투영하고 있다고 판단되는, 저 물방울 속으로 '나'는 들어갈 수 없다. 거부당한 곳에서 '나'는 존재하지만 존재하지 않는, 이를테면 "그림자로 지은 집, 허구"로 자리매김 된다.

물방울은 앞에서 이야기한 바와 같이 시인으로 하여금 불안한 존재의 긴장을 감각하는 계기로 작동한다. 물방울에 비치지 않는 '나'는 "위장된, 폭력성"(「물방울 유희-적滴 32」)의 세계를 증언하지 못할 '증거'로 존재하며 '허영청' 같은 허구임을 깨닫는다. 허구적 존재로 '나'가 위치됨으로써 시인은 세계 속에서 '잉여'적 존재로 기입된다. 어떤 면에서 그것은 진실에 가까운 것인지도 모르겠다. 다른 방식으로 보자면, 물에 비친 자신의 얼굴을 바라보는 것이란 세계를 배면에 깔고 그것을 풍경으로 소비할 뿐 세계-내-존재로 자신을 옮기지 못하는 나르시스의 행위에 국한된 것이기에, 자신의 얼굴이 아닌 세계만을 비춤으로써 물방울은 시인으로 하여금 세계를 증언하지 못하는 존재로서 시인의 자각을 불러오는 셈이다. 태연하게 자신의 얼굴을 보기보다 그 너머에 분명하게 나타난 세계를 바라보도록 하는 물방울의 반영적 프레임이야말로 세계에 대한 분명한 '기록' 그 자체가 된다. 그렇기 때문에 물방울을 감각하는 시인은 물에 비친 자신의 얼굴을 바라보며 세계를 배면에 깔기보다 얼굴이 지워진 세계의 부조리함을 직시하도록 함으로써 지배 질서의 폭력적 관계로부터 비껴난 인간이라는 존재를 "텅 빈 공백을 공백으로" '증거'하여 보다 뚜렷하게 비쳐내는 것은 아닐까.

그 텅 빈 공백의 '허영청'을 시인은 '그림자로 지은 집'이라고 말한다. "그림자로 지어서, 없는 집"(「허영청에 들다-적滴 38」)에서 한 발 내디디면 "깜깜한 밤"을 만나 추락한다. 추락하지 않기 위해서는 안주해야 한다. 어떠한 재난으로부터도 나만은 안전할 것이라고 믿는 이기적 믿음을 가져야 한다. 나 아니면 괜찮다는 이기적 속성이 곧 허영청인 셈이다. 그런 의미에서 추락은 '허영청'에서 벗어나는 일이다. 언제 어떤 불행을 겪을지 모르는 상황에서 자신의 보신만을 위해 타자를 배척하고 스스로를 그림자로 두려는 것은 자아도취의 나르시시즘 속에 매몰되는 행위일 뿐. 그렇기에 시인은 물방울의 추락, 물방울의 낙하를 우리에게 필요한 '빛나는 순간'이라고 말한다.

「서시」에서 시인은 "맺힌 물방울이 떨어지면, 그

자리/또 다른 물방울의 얼굴이, 가만히 와 겹친다"
고 썼다. 맺혔던 물방울은 떨어지면서 모든 흔적을
지운 채 사라지지만 그 자리를 다시 채우는 것은 또
다른 물방울의 얼굴인 셈인데 그것을 "겹친다"고 표
현한다. 이것은 모든 흔적을 지운 채 사라진 물방울
이 사실은 사라지지 않고 "더 큰 자기 자신으로 만
나고 있다"(「멸실환처럼-적滴 29」)는 의미이다. 추락
은 절망을 이끌지 않는다. 오히려 그것은 추락하는
"그들만의 단호한 선택"(「멸치들-적滴 30」)으로 빛
나는 도약이라는 역설을 완성한다. 도무지 어찌할
수 없는 세계의 부조리함에 대항하는 방식으로 물
방울은 추락을 감행한다. 그 추락에의 예비는 항상
"몸과 그림자가 둘로 쪼개지듯"오며, "삶이라는 그
물은 그렇게 일시에, 그것들을 거둬 올린다." 배 위에
잡혀 올라온 멸치의 형태처럼, 그것은 삶의 중단이
자 희망과 절망의 이중성이 교차하는 현장이지만 추
락은 현실에 안주하는 생으로 하여금 돌발적 상황
의 긴장을 부여하며 또 다른 감각을 부여한다.

추락은 싱크홀에 떨어진 생의 돌발성으로 인해 사
라진 자신을 감각하는 최초의 기제이다. 한편으로
추락은 목덜미 뒤에 떨어진 물방울에 대한 감각으
로 이어진다. "한없이 떨어지고 있으면서도, 땅에 스

며들면 다시/날아오르리라는 믿음"(「나뭇잎 뼈-적滴11」)에 들게 하며 "형체도 없는, 보이지도 만져지지도 않는 무형無形의 것이지만" "마치 비상飛翔이듯 생의 척추가 되어주"(「물의 뼈-적滴 20」)는 '물의 뼈'를 감각케 한다. 그 감각이 삶의 곁에 거울의 양면처럼 언제나 항상 있는 부재를 환기시킴으로써 우리를 살게 한다. 보이지도 않고 만져지지도 않는 저 '텅 빈 공백'은 존재의 "가슴속에서 비의 가시로 돋"(「비의 가시-적滴 21」)아 타자의 고통에 감응하고 아픔을 나눌 수 있도록 이끈다. 그렇기 때문에 모든 것이 파괴된 잿더미의 세계에서 비로소 발아하는 '분홍바늘꽃 씨'(「씨, 혹은 씨氏-적滴 22」)처럼 물방울의 추락은 몰락 속에서 얻어지는 환희이자 새로운 가능성을 배태한, 빛나는 순간의 출발이며 도약이라고 말할 수 있겠다.

4. 씨, 혹은 씨氏!

떨어진 자리에 다시 맺히는 물방울의 반복은 시집을 닫는 「적滴에 대하여」까지 이어진다. 개체로 존재하는 물방울은 떨어지고 다시 맺히는 반복을 통해 영속성을 지닌다. 개체가 끌어당긴 또 다른 개체

와 그것들의 합일을 김신용은 "자가 분열이 아니라 증폭"이라고 말한다. 앞에서 살펴본 바와 같이 그것은 추락에 대한 시인의 독특한 해석에 기인한다. 물방울과 물방울의 겹침이 일종의 전율로 감각되고 그것이 "아득한 깊이로 떨어져 내리는" "물방울의 열락"으로 의미화될 수 있는 것도 그것이 부조리한 세계에 매몰되지 않고 새로운 삶의 시작을 가능하게 하는 데 있다. '버려진 사람들'로 명명되었던 존재의 아픔에 천착해 왔던 시인에게 목 뒷덜미에 떨어진 물방울의 자극은 세계에 대한 비판과 존재의 고통을 재현하는 것을 넘어서는 시적 분수령의 역할을 한다.

분수령을 넘는다 분수령을 어떻게 넘을까 생각하지 않아도 분수령을 넘게 되고 분수령을 넘는다는 생각 없이도 언젠가는 분수령에 다다른다 그렇게 분수령을 넘는다 이제 어디로 발걸음을 옮겨야 할까 뒤돌아보면 선명한 발자국과 희미한 발자국이 뒤섞여 있다 한 사람의 생의 궤적이 무늬져 있다 지우고 싶어도 지워지지 않는다
(……)

저기, 물의 신발 하나가 떨어져 있다
자신의 몸이 닳고 닳아야 겨우 존재하는……

- 「분수령 1-적滴 35」부분

(……) 닳고 해져 이제 더 닳고 낡을 것 하나 남지
않은, 그런 표정을 하고 있다 그러나 적막은 늙고
털 빠진 반려의 목덜미를 어루만지듯 풀어진 신
발 끈을 여며주고는 한다 조금 더 걷자고…… 조금
만 더 걸으면 끝난다고…… 지금까지의 수고를 어
루만지고 있다 (……) 다시 낡고 해진 신발을 끌며
민둥산 같은 억새 하나 흔들리지 않는 빈 공터 같
은 길 위에 선다 어디선가 난데없이 뚝 떨어진 물방
울, 물방울 같다 땅에 스며들면 흔적 하나 남지 않
는……, 그런 물방울 같다 적막은 그렇게 허공을 밟
고 섰다 밟고 서 있다 마치 그 공터의 임자인 것처
럼……

- 「분수령 2-적滴 36」부분

시인에게 분수령이란 오래 걸어 닳고 닳은 신발과
그것이 남긴 발자국을 돌아보는 순간에 있다. 그리

고 그것이 환기시키는 기억과 그로 인해 촉발된 감각에 공명한다. 우리는 우리의 뒤에 찍힌 발자국을 통해 걸어온 흔적을 떠올린다. 그 안에 담겨진 수많은 말들을 기억하고 그 순간을 지금 여기로 가져와 감각한다. 우리는 우리가 걸어온 흔적을 어루만지면서 지나간 시간을 이해하고 앞으로의 날들을 상상하게 된다. 낡고 닳은 시간과 대화하며 아직 도래하지 않은 날들의 또 다른 가능성에 몸을 의탁한다. 여기까지 충실하게 '나'를 감당해 준 신발의 "지금까지의 수고를 어루만지"며 시인은 남은 생의 무늬를 상상한다. "더 닳고 낡을 것 하나 남지 않은 표정"의 적막 속에서 시인은 아직 가보지 않은, 넘지 않은 분수령을 상상하며 허공을 밟고 선다.

그러므로 허공은 아직 아무것도 쓰이지 않은 가능성이자 미래인 셈이다. 하지만 "분수령인 줄도 모르고 분수령을 넘"은 시인에게 차곡차곡 쌓인 일생의 흔적은 미래에 대한 불길한 예감을 거둬 낸다. 낡고 해진 신발을 끌며 여기까지 오며 견디어 냈을 끊임없는 질문들은 이미 경험으로 증명한 충만한 대답, 즉 생의 무늬를 아로새겼을 것이기 때문이다. 한 생애를 지나와 깨닫게 되는 삶의 진리를 시인은 툭 던져 놓는다. 이런 그의 모습은 "못생기고 볼품이 없어/어느 누구의 문짝 하나 기둥 하나 되어주지 못하지만/일생의,/혼신의 힘으로/묵묵히 그늘을 만들어온 나무"(「다시, 저수에 대하여-적滴 13」)의 맥락을 얻는다. "그 그늘이, 남루에게 입힐 눈물 한 방울 되지 못"하는 위태로운 위안의 행위일지라도 그렇게 그늘을 만들어 휴식과 위안의 공간을 직조하여 허공에, '텅 빈 공백을 공백'으로 두게 하는 것만으로도 의미가 있는 것이다. 거기에는 어쩌면 비록 여전히 지금 이곳이 '고래 뱃속'이라서 "살아 있는 사람을, 살아 있는 시체가 되게 하"(「고래 뱃속-적滴 3」)는 그 불가해한 세계로 존재를 이끈다 하더라도 주저앉아 절망하도록 두지 않으려는 시인의 의지가 담겨 있다고 봐야 할 것이다.

이번 시집에서 김신용은 존재의 목 뒷덜미를 향해 떨어지는 물방울의 감각으로, 그리고 그것을 둘러싼 표면장력의 긴장으로 경험적 세계의 저 기만적 사실들을 증거하며 우리가 우리의 심연을 어떻게 탐색하고 확장해 나가야 하는지를 보여준다. 그 장력掌力이 우리 삶의 표면에 어떠한 장력張力으로 작용하게 될 수 있는지는 우리가 그것을 수신하는 자세에 달려 있을 것이다. "예측 가능하게 예측 불가능한" 씨

의 발아는 거기에서 시작될 것이다. 분명 이 시집은
우리의 목 뒷덜미에 떨어진 물방울의 표면장력으로,
우리로 하여금 뒤를 돌아 우리가 외면했던 우리의
절망을 대면케 함으로써 새로운 가능성을 지닌 '씨,
혹은 씨氏'가 되도록 이끌 것이라 믿는다.

비는 사람의 몸속에도 내려

2019년 6월 13일 1판 1쇄 펴냄

지은이	김신용
펴낸이	김성규
책임편집	김은경·이계섭
디자인	김동선
펴낸곳	걷는사람
주소	서울 마포구 월드컵로16길 51 서교자이빌 304호
전화	02 323 2602
팩스	02 323 2603
등록	2016년 11월 18일 제25100-2016-000083호

ISBN	979-11-89128-38-8 [04810]
세트 ISBN	979-11-89128-01-2 [04810]

* 이 책은 경기도, 경기문화재단, 한국문화예술위원회의 문예진흥기금을 보조받아 발간되었습니다.
* 이 책 내용의 전부 또는 일부를 재사용하려면 반드시 지은이와 출판사의 동의를 얻어야 합니다.
* 잘못된 책은 교환해 드립니다.
* 이 책의 국립중앙도서관 출판시도서목록(CIP)은 서지정보유통지원시스템 홈페이지(http://www.seoji.nl.go.kr)와 국가자료공동목록시스템(http://www.nl.go.kr/kolisnet)에서 이용할 수 있습니다. (CIP제어번호:2019018947)